C0-AVE-798

ALFAGUARA

El papel utilizado para la impresión de este libro ha sido fabricado a partir de madera procedente de bosques y plantaciones gestionadas con los más altos estándares ambientales, garantizando una explotación de los recursos sostenible con el medio ambiente y beneficiosa para las personas. Por este motivo, Greenpeace acredita que este libro cumple los requisitos ambientales y sociales necesarios para ser considerado un libro «amigo de los bosques». El proyecto «Libros amigos de los bosques» promueve la conservación y el uso sostenible de los bosques, en especial de los Bosques Primarios, los últimos bosques vírgenes del planeta.

Papel certificado por el Forest Stewardship Council®

Primera edición: octubre de 2015

Penguin Random House Grupo Editorial, S.A.U.
Travessera de Gràcia, 47-49. 08021 Barcelona

Printed in Spain – Impreso en España

ISBN: 978-84-204-1079-1
Depósito legal: B-18.850-2015

Impreso en Cayfosa (Barcelona)

AL 1 0 7 9 1

Penguin
Random House
Grupo Editorial

LA EMPERATRIZ DE LOS ETÉREOS

La Emperatriz de los Etéreos

Laura Gallego García

ALFAGUARA

I

La leyenda del Reino Etéreo

—Cuentan que, más allá de los Montes de Hielo, más allá de la Ciudad de Cristal, habita la Emperatriz en un deslumbrante palacio, tan grande que sus torres más altas rozan las nubes, y tan delicado que parece creado con gotas de lluvia. Dicen que la Emperatriz es tan bella que nadie puede mirarla a la cara sin perder la razón; dicen también que es inmortal y que lleva miles de años viviendo en su palacio, en el Reino Etéreo, un lugar de maravilla y misterio que aguarda a todos los que son lo bastante osados como para aventurarse hasta él. Allí, en el palacio de la Emperatriz, no existe el sufrimiento, ni se pasa frío, y no es necesario comer, porque nunca se tiene hambre...

Aquella fue la primera vez que Bipa oyó hablar del Reino Etéreo y su Emperatriz. Entonces tenía siete años. Esa noche, ajenos a la violenta tormenta de nieve que sacudía el hogar de Nuba, nueve niños escuchaban el cuento con atención. Fascinados, contemplaban a la mujer con la boca abierta y los ojos brillantes.

Todos menos Bipa, que miraba a un lado y a otro, visiblemente incómoda. Nuba suspiró para sus adentros. Resultaba muy difícil atrapar a aquella niña en la red que tejía la magia de las palabras.

—¿Qué te pasa, Bipa? —le preguntó con amabilidad—. ¿No te gusta el cuento?

Bipa dudó un instante, pero finalmente confesó:

—No mucho —detectó las miradas, entre extrañadas y hostiles, de los otros niños. Pero ya estaba lanzada y no se detuvo—: Es un cuento absurdo. No existe ese palacio de la Emperatriz, son todo mentiras —Bipa debería haber captado entonces el brillo de tristeza de los ojos de Nuba, debería haber prestado atención a los murmullos de los otros niños; pero siguió hablando sin ser consciente de lo crueles que podían llegar a ser sus palabras—. Nadie puede vivir para siempre, ni siquiera esa Emperatriz. ¿Y cómo va la gente a volverse loca si la mira? Por muy guapa que sea, nadie se volvería loco sólo por mirar a otra persona. Además, si pasas mucho tiempo sin comer, te mueres. Eso lo sabe todo el mundo —concluyó con un cierto tono de reproche, como echándole en cara que mintiera a los niños, o que los considerara tan estúpidos como para creerse esos disparates.

Nuba no respondió. Sólo siguió mirándola, y Bipa empezó a intuir que sus palabras la habían herido, aunque no alcanzaba a comprender por qué.

—Sólo es un cuento, Bipa —intervino una de las niñas mayores.

—Pues es un cuento tonto, una pérdida de tiempo —replicó ella, molesta por el tono burlón y autosuficiente de la otra—. ¿De qué nos sirve que nos cuenten cuentos sobre cosas que no existen?

—Tú dices que no existen —intervino de pronto una voz desafiante—. ¿Cómo lo sabes? ¿Alguna vez has atravesado los Montes de Hielo?

Bipa se volvió hacia el niño que acababa de hablar; lo conocía, porque en las Cuevas todo el mundo se conocía, pero no había tratado mucho con él. Se llamaba Aer, y era el único hijo de Nuba.

Aer... Todo en él era extraño, desde su nombre hasta sus ojos, más claros que los de cualquier otra persona que Bipa conociera. A diferencia de ella, y de los otros niños, Aer era más bien delgaducho, hablaba poco y, por el contrario, se fijaba mucho en todo. Constantemente estaba desapareciendo y regresando en los momentos más inesperados. Prestaba atención a cosas sin importancia y, al mismo tiempo, parecía desdeñar lo cotidiano, lo evidente, todo aquello en lo que cualquier persona sensata debería invertir su tiempo.

Quizá por esta razón, en las pocas ocasiones en las que hablaba decía cosas extrañas.

A Bipa no le caía bien. Al resto de la gente, ni bien, ni mal.

—Sé lo que veo —replicó ella—. Es verdad que no conozco lo que hay más allá de los Montes de Hielo, pero, ¿para qué quiero saberlo? No voy a ir nunca hasta allí. ¿Qué me importan a mí la Emperatriz y su palacio?

—Pues yo iré —replicó Aer—. Cruzaré los Montes de Hielo y la Ciudad de Cristal, y veré a la Emperatriz.

Tras esta sorprendente revelación, todos quedaron mudos como estatuas; sólo se oyó el débil suspiro de Nuba, que se fundió con el sonido del viento que bramaba en el exterior.

Y entonces sonó de nuevo la voz de Bipa:

—¿Para qué?

Aer se mostró desconcertado. Abrió la boca para responder, pero no se le ocurrió nada inteligente que decir. Los francos ojos oscuros de Bipa se clavaron en los suyos, interrogantes.

Los otros niños empezaron a murmurar:

—Es verdad, ¿para qué querría nadie ir a los Montes de Hielo?

—¿Y vivir en un palacio donde nunca se come?

—Si no comen nunca, no tendrán que trabajar en los huertos ni cuidar del ganado.

—¡Es verdad! ¿Y qué hacen entonces los que viven con la Emperatriz?

—¡Jugar todo el día!

—¿Incluso los mayores?

—Además —razonó Bipa—, si te marchases de aquí, tu madre se pondría muy triste.

De nuevo, los niños enmudecieron. Todos a una, se volvieron hacia Nuba. La mujer había girado la cabeza y se había cubierto los ojos para que no la vieran llorar, pero los rastros de sus lágrimas aparecían claramente marcados en sus mejillas.

Aer se levantó, sin una palabra, y corrió a su regazo para consolarla.

Nadie dijo nada. Aunque no solían hablar de ello, porque no valía la pena ni le iba a ser de utilidad a la pobre Nuba, todos, incluso los niños como Bipa, sabían que, tiempo atrás, el padre de Aer se había marchado de las Cuevas y nunca había regresado.

Se suponía que había muerto en los Montes de Hielo.

Ésa era otra de las cosas que Bipa sabía, porque los niños de las Cuevas las aprendían a edad muy temprana: lejos de los cálidos hogares de su gente, lejos de los túneles y de sus acogedoras lumbres, el mundo era frío y hostil.

Todos aquellos que se alejaban de las Cuevas morían congelados al poco tiempo.

¿Para qué querría nadie, y menos un niño como Aer, abandonar el único lugar seguro que todos conocían? En las Cuevas había comida, abrigo y calidez. En opinión de Bipa, y de la mayor parte de la gente, ni todas las maravillas del palacio de aquella Emperatriz de leyenda podrían competir con eso.

—No vale la pena pensar en ello —le dijo Bipa a Aer en voz baja—. Nada de lo que puedas encontrar ahí fuera puede ser mejor que lo que dejarías atrás.

Y dirigió una mirada significativa a Nuba.

Aer apretó los dientes y optó por callar.

Tampoco los demás añadieron nada. Las reflexivas palabras de Bipa les habían dejado sin ganas de hablar ni de escuchar más cuentos.

Una de las niñas mayores se levantó para servirle a Nuba una infusión caliente. Otro de los niños le trajo una manta.

En un mundo como el suyo, una manta y una taza de una bebida caliente suponían mejor consuelo que las palabras. Pero a Nuba resultaba difícil consolarla. Nuba era frágil y melancólica y, aunque se esforzaba por mostrar el talante práctico y resuelto que caracterizaba a todas las mujeres de las Cuevas, a menudo la sorprendían mirando al horizonte con un brillo de nostalgia en la mirada.

Pese a su debilidad y su tendencia a fantasear, Nuba era cálida y dulce, y todos la querían. Cuidaban de ella como si fuese un niño más, o una anciana que no pudiese valerse por sí misma.

Se lo consentían todo, porque en el fondo sabían que no había ningún palacio ni existía ninguna Emperatriz, y que el padre de Aer jamás volvería. Y había sido un joven tan extraordinario que, desde el mismo instante en que sus ojos, claros y brillantes como un cristal de nieve, se habían cruzado con los de ella, años atrás, la habían condenado a no poder amar jamás a ningún otro hombre.

Los niños no estaban al tanto de todo esto. Eran demasiado pequeños como para haber asistido a la breve pero intensa relación que ambos habían compartido, y de la cual ya sólo quedaban un niño extraño e inquieto y un cúmulo de recuerdos tan frágiles e inalcanzables como el palacio de cristal de aquella mítica Emperatriz.

Los niños sólo tenían claro que había que cuidar a Nuba porque estaba sola; que había que mimarla porque estaba triste. Y que eso se debía a que el padre de Aer no iba a volver.

Quien mejor lo entendía era, precisamente, Bipa. También su familia se componía únicamente de dos miembros. Su madre había fallecido al darla a luz a ella, y su padre, aunque vivía en apariencia tranquilo y satisfecho consigo mismo y con su vida, mostraba a veces, cuando creía que Bipa no se daba cuenta, aquel brillo nostálgico en la mirada que tan a menudo alumbraba los ojos cansados de Nuba.

Por todo ello, Bipa era extraordinariamente madura para su edad. Los niños de las Cuevas eran, en realidad, sensatos y responsables a edades muy tempranas —con la probable excepción de Aer—. Pero en cuanto a pragmatismo y sentido común, sin duda Bipa los ganaba a todos. Quizá porque debía hacer de madre a la vez que de hija, o simplemente porque su padre siempre la había tratado como a una persona mayor.

Lo que sí quedaba claro era que aquella madurez prematura todavía no le había enseñado a tener tacto o un mínimo de empatía: decía las cosas tal y como las pensaba sin detenerse a considerar las consecuencias.

—Ya está, ya está —sonrió Nuba, envolviéndose en la manta y echando un vistazo a las nueve caritas preocupadas—. Ha sido sólo un desahogo. Olvidémonos del cuento, ¿de acuerdo? Podemos hacer otra cosa —añadió, mirando de reojo a Aer.

El niño había desviado la vista, sombrío.

Podría haber tomado las historias de su madre como lo hacían el resto de personas de las Cuevas: cuentos infantiles para entretener a los niños, bellos y emocionantes, pero sin ninguna base real.

Pero no lo hacía, en primer lugar, porque su madre sí creía en la Emperatriz y en su palacio, y en un reino legendario más allá de los Montes de Hielo. En segundo lugar, porque aquellas historias se las había enseñado su padre. Y en tercer lugar, porque aceptar que no había nada más allá suponía darlo por muerto. Y, dado que su madre no lo hacía, a Aer le resultaba imposible dejar de creer que un día podría regresar, o, incluso, que los estaba esperando en el palacio de la Emperatriz.

Pero su madre nunca tendría valor para abandonar las Cuevas. ¿Sería capaz él de partir y dejarla atrás?

«Nada de lo que puedas encontrar ahí fuera...»

De pronto sonaron unos golpes en la puerta.

Los niños, que habían estado ordenando la habitación y armando un revuelo considerable, en un intento de ayudar a Nuba, callaron y prestaron atención.

Se oyó una voz desde fuera:

—¿Nuba? ¿Niños?

—¡Es mi padre! —exclamó alguien.

—La tormenta debe de haber amainado ya —dijo Nuba, con un suspiro—. Es hora de que volváis a casa.

Uno por uno, los padres llegaron al hogar de Nuba para recoger a sus hijos.

El último fue Topo, el padre de Bipa.

Siempre era el último en llegar. Los niños no eran aún lo bastante perspicaces como para captar que lo hacía para poder pasar un rato a solas con Nuba, pero Aer sí se había fijado.

No le molestaba. El padre de Bipa le caía bien —al contrario que la niña—, aunque sabía que él y su madre nunca llegarían a nada.

El corazón de Nuba se lo había llevado el hombre que una mañana se perdió entre la cortina de nieve y nunca más volvió.

Topo entró resoplando, como siempre hacía. Guiñó un ojo a Nuba y a los niños.

—¡Qué frío hace! Más que ayer, pero menos que mañana.

Bipa rió, y Nuba le dedicó una cálida sonrisa. Topo se acercó al fuego a calentarse las manos, advirtió que crepitaba con desgana y echó más carbón. Las llamas se alzaron más altas, inundando la casa con su calor.

—¿Habéis aprovechado la tarde? —preguntó Topo.

—Mi madre nos ha estado contando un cuento —dijo Aer con cierto rencor—, pero la tonta de Bipa lo ha estropeado.

—¡Aer! —lo reconvino Nuba.

Bipa, que había estado recogiendo sus cosas y ajustándose la capa, preparada ya para salir, se detuvo de pronto.

—¿A quién llamas tonta, larguirucho?

—¡A la que mete la pata y habla cuando se tiene que quedar callada!

—¿Ah, sí? ¡Pues yo hablo cuando me da la gana, para que lo sepas! ¡Pero no soy tan bocazas como tú, que vas y le sueltas a tu madre...!

—¡Silencio! —tronó Topo.

De pronto, su expresión afable se había esfumado. Miró a Bipa con severidad.

—¡Ha empezado él! —protestó la niña—. ¡Tú lo has visto!

—Quiero que te disculpes ante Nuba y Aer, Bipa.

Bipa entornó los ojos.

—Sólo si Aer se disculpa primero.

Aer se volvió hacia su madre, pero ella no dijo nada. Parecía ausente; las escenas de tensión, las riñas y las discusiones la turbaban y la dejaban en un estado de cierta perplejidad.

—Bipa, discúlpate —insistió Topo, severo.

Ella miró a Aer, iracunda. En otras circunstancias, tal vez habría obedecido. A regañadientes, pero habría pedido perdón, porque no le servía para nada estar enfadada con alguien, y Bipa era, ante todo, una niña pragmática. Pero Aer, tan raro, tan insolente, tan cabeza hueca, le sacaba de sus casillas. Y teniendo en cuenta que era él quien se saltaba las normas, y hacía y decía lo que se le antojaba, una y otra vez, sin recibir reproches o castigos, no lo consideró justo.

—Sólo si Aer se disculpa primero —repitió despacio, tozuda.

—Si no pides disculpas, te irás a la cama sin cenar.

Las tripas de Bipa protestaron al oírlo, pero ella apretó los dientes y no cedió. Clavó sus ojos desafiantes en Aer y declaró:

—Pues no cenaré. Pero creo que Aer también se ha portado mal y también debería irse a la cama sin cenar si no pide perdón.

La mano de Topo aferró el brazo de Bipa con tanta fuerza que le hizo daño.

—Mis disculpas a los dos en nombre de mi hija —dijo con voz grave—. Por su mal comportamiento estará castigada esta noche sin cenar. Espero que eso le haga reflexionar y mañana venga ella misma a pediros perdón.

—Topo, no es necesario... —empezó Nuba, pero no terminó la frase: la mirada del hombre no admitía réplica.

Bipa fue llevada a rastras de la casa de Nuba a la suya propia. Antes de salir, cruzó una última mirada con Aer, y a los dos se les escapó un bufido de indignación.

Y a pesar de que, como de costumbre, el paisaje estaba nevado y hacía muchísimo frío, Bipa se sentía acalorada y llena de energía. Se preguntaba cómo era posible que una mujer tan dulce como Nuba tuviese por hijo a semejante alcornoque.

Y aquella noche, mientras trataba de dormir a pesar del vacío de su estómago, su antipatía hacia Aer creció todavía más.

«Ese niño y yo nunca nos llevaremos bien», se dijo. Lo cual era una lástima, porque discutir constantemente con alguien acababa enseguida con las fuerzas de uno, y además no servía para nada.

Al día siguiente, Bipa fue a disculparse. Pero aprovechó un momento en que sabía que Nuba estaba sola, para no tener que pasar el trago de pedir perdón a Aer también.

«No —pensó, mientras se alejaba del hogar de Nuba y se internaba en otro de los túneles, en dirección a los huertos, donde tenía que ayudar aquella mañana—, Aer y yo nunca nos llevaremos bien.»

A pesar de todo, la hostilidad entre ambos niños nunca llegó a ser un enfrentamiento abierto. En los años siguientes se ignoraron el uno al otro, sacándose la lengua como mucho, cuando se cruzaban, o dirigiéndose alguna pulla que no llegaba a cristalizar en una verdadera discusión.

El tiempo se deslizó perezosamente por las vidas de los habitantes de las Cuevas.

Dado que siempre era invierno allí, la mejor manera que tenían de medir el transcurso de los años era viendo crecer a sus hijos.

Bipa se convirtió en una muchacha seria, responsable y trabajadora. Pero también era pragmática hasta la exasperación y solía hablar con una descarnada franqueza que a veces resultaba avasalladora. La temeridad y la despreocupación propias de la adolescencia no la habían afectado a ella. En apariencia, Bipa se había saltado aquella fase y, cuando las curvas femeninas apenas empezaban a redondear su cuerpo, fuerte y robusto, ella se comportaba ya con la gravedad de una mujer adulta. Las otras chicas estaban en la edad de coquetear y mirar disimuladamente a los chicos, y de sonrojarse y reír si ellos les devolvían la mirada. Estaban en la edad de soñar despiertas y de imaginar cómo sería su futuro; de contemplarse en las heladas aguas del arroyo y verse ya más mujeres que niñas, como mariposas emergiendo de la crisálida.

Bipa no tenía tiempo para esas cosas. Trabajaba mucho, al igual que su padre, y siempre encontraba tareas que llevar a cabo, cosas prácticas que ayudaban a hacer su vida un poquito menos incómoda: cubrir la cara interior de la puerta con una nueva capa de pieles para que no se colase el frío por las grietas; buscar hongos comestibles en las galerías subterráneas; confeccionar zapatos que aislaran los pies adecuadamente a la hora de caminar por la nieve; asegurarse de que nunca faltara carbón para el fuego; cuidar de la pequeña parcela de huerto subterráneo que les correspondía; y, por supuesto, vigilar el rebaño.

Aquélla era la tarea que los adultos de las Cuevas le habían encomendado al crecer.

No era un trabajo muy complicado. Las reses, animales cavernarios, pequeños y lanudos, que nada tenían que ver con las vacas y las ovejas de los tiempos antiguos, eran estúpidas y rara vez se alejaban de las grutas adonde Bipa las conducía todos los días. Aquellos animales eran ciegos, y sólo su olfato y su instinto les indicaban la ubicación de los lechos de musgo. Todo lo que Bipa tenía que hacer era asegurarse de que tuviesen agua y alimento a su disposición, y de no descender demasiado por los túneles, ya que en las galerías inferiores era más fácil que el rebaño fuese atacado por algún depredador de las profundidades.

La mayor parte de los jóvenes de su edad encontraban aquel trabajo monótono y aburrido; pero a Bipa le gustaba. La seguridad de las Cuevas le hacía sentirse cómoda. Prefería que hubiese un techo sobre su cabeza y calentarse al abrigo de un buen fuego a quedarse al aire libre, a merced del frío y de la nieve.

Y los días de buen tiempo le gustaban todavía menos. Porque, cuando la capa de nubes se hacía menos pesada, menos oscura, la luz que se filtraba desde arriba, fría, distante y de una cierta tonalidad azul, le hacía estremecerse.

Tampoco echaba de menos a los chicos de su edad. Era cierto que a veces le pesaba la soledad, pero tenía a su padre, que siempre estaba ahí si lo necesitaba, y además, cada vez sentía menos interés por las cosas que hacían las otras chicas. Se llevaba bien con ellas, no las despreciaba ni las evitaba. Era, simplemente, que ya no las comprendía.

Por ejemplo, por más que lo había intentado, no entendía qué podían ver en Aer. El niño descarado y delgaducho se había convertido en un joven de cabello y ojos marrón claros que contrastaban con el pelo bruno y los ojos oscuros de la gente de las Cuevas. Eso hacía, tal vez, que su figura llamara la atención —también era alto y esbelto, a diferencia del resto de los hombres, por lo general más robustos, de la comunidad— y que las muchachas se fijaran en él solo porque era diferente.

Pero ahí se acababa todo. Porque Aer seguía siendo el mismo chiquillo rebelde e independiente, desapareciendo y reapareciendo donde uno menos se lo esperaba, concentrado en ideas extravagantes y proyectos irrealizables que lo hacían descuidar sus tareas cotidianas, y a menudo constituía un verdadero dolor de cabeza para la gente de la comunidad.

Cuando sus amigas suspiraban por Aer, Bipa movía la cabeza y trataba de hacerles comprender que ninguna chica con dos dedos de frente podría ser feliz junto a aquel botarate. Ellas la miraban, incrédulas, preguntándose tal vez si Bipa era una mujer de verdad, o si acaso estaría ciega.

Porque, la verdad sea dicha, Aer tenía una sonrisa arrebatadora y una mirada pícara a la que ninguna chica podía resistirse. Y lo que lo hacía aún más atractivo era el hecho de que el joven todavía no se hubiera fijado en ninguna muchacha en concreto.

—Te convendría olvidarle —le aconsejó Bipa una vez a una de sus amigas—. Porque terminará marchándose, como su padre, y tú te quedarás sola y amargada, como su madre. Además, sé de alguien que está loco por ti.

Porque, curiosamente, a pesar de que Bipa nunca protagonizaba ninguno de los escarceos juveniles que florecían en la comunidad, siempre parecía ser partícipe de todos ellos. Tal vez porque no les concedía importancia, o porque no tenía pelos en la lengua, lo cierto era que muchos jóvenes, tanto chicos como chicas, la utilizaban como confidente.

—¡Déjate de tonterías y díselo! —se exasperaba ella.

—Es que... ¿y si no le gusto?

—Muy bien, pues se lo digo yo y así saldrás de dudas; dejarás de perder el tiempo y de hacérmelo perder a mí.

Pero nunca, jamás, fue a darle ningún recado a Aer de parte de ninguna chica.

—Creo sinceramente que no te conviene y por eso no se lo voy a decir —argumentaba—. Pero si tan convencida estás, adelante, díselo tú misma.

Luego nunca preguntaba a la enamorada si había osado declararse, y, en tal caso, cuál había sido el resultado. No le interesaba. Tenía cosas más importantes en que pensar.

Aer y ella no habían tenido una larga conversación en serio desde niños, cuando discutieron en el hogar de Nuba aquella tarde de tormenta.

Aquello cambió una mañana en que Bipa condujo al rebaño a través de las galerías orientales, en busca de nuevos pastos. Descubrió una cueva de buen tamaño que tenía un lecho de musgo lo suficientemente extenso como para dar de comer a todo el rebaño durante varios días. Se aseguró de tener controladas todas las posibles salidas, colocó la lámpara en alto y, con los brazos en jarras, miró a su alrededor, mientras las reses se arrastraban en torno a ella. Descubrió un hilillo de agua que se deslizaba por la pared, formando un pequeño remanso en el suelo, y asintió, satisfecha.

Y entonces vio las pinturas.

Al principio creyó que eran simples manchas, pero luego se dio cuenta de que formaban figuras, y que debían de haber sido dibujadas por una mano humana. Frunció el ceño, tomó la lámpara y la alzó para observarlas mejor.

Sí, aquellos trazos representaban a personas. Eran sencillos, esquemáticos, pero se apreciaba su significado con toda claridad.

Parecía una cacería. Las presas eran animales de gran tamaño, comparadas con las figuras humanas, y la mano anónima que las había plasmado en aquella pared había aprovechado la protuberancia de la roca para moldear sus cuerpos, pintados con tonos rojizos y terrosos, colores cálidos que inspiraron en Bipa una inexplicable sensación de añoranza.

No se preguntó qué clase de animales serían. Era cierto que todas las criaturas que conocía, seres cavernarios en su mayoría, eran muy diferentes de los animales representa-

dos en la pared. Pero también daba por hecho que los túneles se hundían muy profundamente en la tierra y que nadie sabía qué podía ocultarse allí. Y, dado que ella no pensaba bajar para averiguarlo y dudaba mucho de que las criaturas de las profundidades se molestaran en subir a la superficie, no sentía tampoco el menor interés por investigar más.

Pero sí le llamó la atención un círculo rojo que pendía sobre las cabezas de las figuras. Por alguna razón le recordó al fuego de su hogar, y la reconfortó, aunque no dejó de preguntarse, esta vez sí, qué representaría y por qué aparecía suspendido en el aire en el dibujo.

La sobresaltó un sonido a su espalda y se dio la vuelta, con el corazón latiéndole con fuerza. Había una luz que se acercaba, procedente de los corredores, y se oía un ruido chirriante, como si arrastrasen algo muy pesado por el suelo. Alzó la lámpara y exclamó:

—¿Quién va?

No obtuvo respuesta, pero oyó la respiración trabajosa de la persona que se aproximaba. Inquieta, la joven aguardó hasta que el visitante entró en la cueva.

II

«El día que decida marcharse...»

Una figura larguirucha, una melena despeinada de cabello castaño claro...

Bipa resopló para sus adentros. Aer era inconfundible.

—¿Qué estás haciendo aquí? ¡Me has asustado!

Entonces fue él quien se sobresaltó. Había entrado en la cueva de espaldas porque venía arrastrando una enorme lámina de un material de color lechoso. Se había envuelto las manos con trapos para no cortarse con los bordes afilados de aquella cosa, lo cual le dificultaba el transporte todavía más. Se volvió al oír la voz de Bipa, con cierta expresión culpable.

—Cuando he pasado antes por aquí no había nadie —fue lo primero que dijo.

—¿Y no se te ha ocurrido pensar que si había luz es porque ahora sí hay alguien? —respondió ella, perdiendo la paciencia—. ¡Aparta a los animales de ahí! Se van a hacer daño.

Las reses se habían acercado a olisquear a Aer y lo que traía consigo, y el joven retiró con suavidad a un macho cuyo hocico estaba peligrosamente cerca de los bordes afilados. Después, se apoyó contra la pared para descansar.

Bipa no dijo nada. Le dedicó un gruñido desdeñoso y se inclinó para tomar en brazos a uno de los animales, que se restregaba contra su pierna, señal de que se encontraba mal o le dolía algo. La muchacha se puso a examinarlo concienzudamente, ignorando a Aer.

El chico la contempló unos instantes.

—¿No quieres saber qué es esto, ni para qué sirve? —la tanteó.

—¿Para cortarte un dedo si no andas con ojo, tal vez? —replicó ella, sin levantar la vista de lo que estaba haciendo. Sus manos, de dedos cortos pero ágiles, repasaban el lanoso pelaje del animal, en busca del origen de la molestia.

Aer se volvió para mirar la lámina, pensativo.

—Tendré que limar los bordes. Pero eso no será ningún problema. Lo verdaderamente importante es esto, mira.

Sin previo aviso, cogió la lámpara y se la llevó consigo, dejando a Bipa sin luz suficiente.

—¡Eh! —protestó la joven. Aer hizo caso omiso y rodeó la lámina hasta quedar oculto tras ella. El material, translúcido, dejaba pasar parte de la luz, e incluso se adivinaba la silueta del chico, al otro lado.

—¿Lo ves? —dijo Aer.

—Sí, ¿y qué? —replicó ella sin mucho interés.

Aer reapareció desde detrás del objeto, pero no le devolvió la lámpara.

—Es una lámina de cuarzo —explicó—, lo bastante fina como para dejar pasar la luz. Me ha costado horrores extraerla de la roca sin romperla —su voz estaba teñida de mal disimulado orgullo; pero Bipa no era tan fácil de impresionar como las otras chicas.

—Qué pena, porque podías haber dedicado ese tiempo a hacer algo más productivo.

Aer se volvió hacia ella, picado.

—¿Crees que no sirve para nada? ¡Pues te equivocas! Abriré un agujero en el techo de nuestra cueva y encajaré la lámina en él. Así tendremos más luz y claridad durante el día —concluyó, satisfecho, sonriendo de oreja a oreja.

Bipa lo miró fijamente, sin dejarse seducir por su eterno aire de niño travieso. Con un suspiro cargado de paciencia, se levantó para acercarse hasta él.

—En primer lugar —le dijo, dando un par de golpecitos sobre la lámina—, al ser tan fino os protegerá menos del frío. Si abres un agujero en el techo y lo tapas con esto, vais a necesitar varios pares de mantas más para poder dormir por las noches. No creo que a tu madre le haga gracia.

»Y en segundo lugar —añadió, arrebatándole la lámpara de las manos—, tendrás que limpiar todos los días la nieve que se acumule sobre ella. Porque te tapará esa luz que quieres capturar, y porque, si dejas que se forme un montón lo bastante alto, la lámina acabará por romperse. Así que tu brillante idea es una pérdida de tiempo —concluyó encogiéndose de hombros.

Había una tercera razón, pero no la mencionó. Y era que ella no habría cambiado por nada del mundo el cálido resplandor del fuego por la fría luz del exterior.

Pero no valía la pena decírselo a Aer. Porque él adoraba el exterior, por mucho frío que hiciese y por muy desolador que fuera el paisaje.

Se sentó de nuevo junto a la res dolorida y reanudó su trabajo, sin molestarse en mirar a Aer. Suponía que estaría enfadado con ella y no tenía tiempo para malgastarlo en discusiones.

Transcurrieron unos instantes antes de que volviera a oír su voz.

—¿Sabes qué? Tienes razón.

—Vaya, qué sorpresa —comentó ella con calma. Claro que sabía que tenía razón. La novedad era que él lo reconociera. Así pues, alzó la cabeza para mirarle, intrigada a su pesar, porque le había parecido captar un nuevo tono en la voz del muchacho, de reconocimiento, y tal vez de respeto.

Pero Aer le daba la espalda. Examinaba su hallazgo, contemplándolo desde una nueva perspectiva. Bipa lo vio encogerse de hombros, suspirar con resignación y, acto seguido, alzarlo y arrojarlo contra las rocas de la pared.

—¿Te has vuelto loco? —exclamó ella, pero el ruido de la lámina al romperse ahogó su voz.

—Mejor será que me lo lleve a trozos —dijo Aer, agachándose para recogerlos—. Seguro que les encontraré alguna utilidad.

Bipa le respondió con un gruñido desdeñoso.

—Llévatelos todos —le ordenó—. Voy a venir aquí con mi rebaño hasta que se termine el pasto, y no quiero que haya que lamentar ningún accidente.

Aer no respondió, pero guardó todos los pedazos en su bolsa.

Bipa dejó de prestarle atención y se concentró de nuevo en el animal. Descubrió entonces dónde estaba el problema: la criatura debía de haberse raspado contra algún saliente rocoso, porque un profundo arañazo marcaba su costado, por debajo del espeso pelaje. Debía de escocerle, seguro. Rebuscó en su morral hasta encontrar un pequeño bote que contenía una cataplasma que haría cicatrizar la herida y reduciría la inflamación. Se aplicó a ello, mientras apuntaba mentalmente que debía visitar a Maga para pedirle que le rellenase el bote.

—¿Has visto esto? —oyó de pronto la voz de Aer muy cerca de ella, sobresaltándola.

Bipa se giró hacia él, molesta. Aprovechando su distracción, el animal se le había escapado antes de que pudiera terminar de curarlo.

—¿Y ahora, qué? —protestó.

Aer volvió a tomar el farol y lo alzó en alto.

—¿Has visto esto? —repitió.

Ella le echó un vistazo rápido.

—Ah, sí, los dibujos.

—¿Qué serán esos animales? ¿Y ese círculo rojo? ¿Quién pintaría esto? ¿Y para qué?

Pero Bipa ya no lo escuchaba. Había vuelto a atrapar al animal y trataba de reanudar lo que había dejado a mitad. Aer la miró de reojo.

—¿Es que no hay nada que pueda llamar tu atención? ¿Nunca te haces preguntas? ¿No sientes curiosidad por nada?

—Las personas que pintaron esos dibujos debieron de morir hace mucho tiempo —replicó ella—. Nunca podrás encontrar a nadie que pueda explicarte en qué pensaban cuando los hicieron. Así que no sirve de nada hacerse preguntas al respecto.

En esta ocasión le tocó a Aer resoplar, exasperado.

—Siempre hablas como si lo supieras todo, y en realidad lo único que conoces son las Cuevas y un pedazo de túnel. Como si no hubiera nada más.

—Es que no hay nada más, Aer. Y aunque lo hubiera, no voy a llegar a conocerlo nunca, porque aquí estoy bien y no quiero arriesgarme a morir de frío sólo para ver qué hay más allá; así que no pienso perder el tiempo con cosas que no van a afectarme lo más mínimo.

—Eres tan ciega y obstinada como los animales de tu rebaño —acusó Aer—; siempre ocultándose en los rincones oscuros, siempre apretujándose unos contra otros...

—Las reses son ciegas porque no necesitan ojos, puesto que viven en la oscuridad. ¿Y sabes por qué? Porque no hay nada ahí fuera que pueda interesarles. Porque si salen de los túneles morirán de hambre y de frío. Porque en el pasado los animales que salían, atraídos por la luz, jamás regresaban, y al final los que quedaron vivos fueron aquellos que no necesitaban ver, aquellos que sabían apretujarse unos contra otros para mantener el calor. Prefiero ser una res ciega viva que un idiota muerto —concluyó, ceñuda.

Aer la contempló un instante, atónito. Después, para desconcierto de ella, se echó a reír.

—¡Pasas demasiado tiempo aquí dentro, Bipa! Hay muchas cosas en el exterior que no conoces. Como, por ejemplo, esto —añadió, señalando el círculo rojo que, mucho tiempo atrás, alguien había pintado en la pared.

—¿Sabes qué es eso? —quiso asegurarse Bipa, incrédula; Aer asintió—. ¡Me acabas de decir que no lo sabías!

—Y tú, que no te interesaba —contraatacó él—. Bien, no estoy seguro, pero he visto algo parecido. Algún día te lo mostraré.

Bipa se encogió de hombros.

—Puedes ahorrarte la molestia.

—Y algún día —prosiguió Aer, sin escucharla, perdido en sus ensoñaciones— puede que descubra que aquellas reses que se fueron siguiendo la luz en realidad no están perdidas, sino que encontraron un lugar mejor.

—Sin duda, cuando uno está muerto se debe de sentir estupendamente bien— cortó ella, con sarcasmo—. Ya no pasas frío, ni hambre, ni tienes que preocuparte por nada. Como en el palacio de la Emperatriz, ¿no? —concluyó con intención.

Aer enrojeció y le lanzó una mirada furibunda.

—¿Está mal que crea que mi padre sigue vivo?

—Sí, está mal —respondió Bipa, categórica—. Porque tu madre pasará la vida esperándole y perderá las pocas oportunidades que le quedan de ser razonablemente feliz. Y porque, como se descuide, tú seguirás el mismo camino que tu padre, y ella se quedará sola y sufrirá todavía más. Así que olvídate de todas esas historias absurdas de una vez —concluyó levantándose con energía— y dedícate a cuidar de tu madre y a llevarle algo bueno para comer de vez en cuando, para variar. Toma —añadió, depositando en sus manos una cesta de hongos—, llévaselos de mi parte. Y devuélveme la cesta después, que no tengo otra.

—No es necesario... —empezó Aer, pero Bipa le cortó:

—Hazlo, antes de que cambie de idea. La pobre Nuba no tiene la culpa de tener un hijo tan inútil como tú.

Aer entornó los ojos. Bipa sabía que le había herido, pero ella era así; no podía evitar decir lo que pensaba. Aguardó una réplica por parte del muchacho, una protesta airada; para todo ello estaba preparada. Pero Aer alzó la barbilla y la miró con una misteriosa media sonrisa.

—Le diré que van de tu parte —dijo, sin más—. Gracias, y adiós.

Bipa se quedó tan sorprendida que no acertó a responder. Lo vio perderse por la galería, con sus pasos largos y desgarbados, llevando consigo el morral lleno de fragmentos de cuarzo y la cesta de hongos que le acababa de regalar.

Cuando terminó la jornada de trabajo, Bipa llevó de nuevo las reses a la cueva-corral y regresó a casa.

Su cueva, como casi todas las demás, tenía dos puertas. Una, recubierta con varias capas de pieles para impedir el paso del frío, daba al exterior, al mundo de hielo y nieve que se extendía hasta donde alcanzaba la vista. La otra, interior, comunicaba con la red de galerías común. Algunas cuevas estaban unidas por túneles interiores; para llegar a otras, por el contrario, era necesario salir al exterior.

Bipa no salía, si podía evitarlo. La cueva que compartía con su padre tenía una puerta interior muy bien situada, que daba a un túnel que comunicaba con la mayor parte de los hogares con los que tenían más relación, y también con el pequeño huerto y el corral de las reses.

Cuando llegó a casa, su padre aún no había regresado. Bipa encendió un fuego y salió al exterior el tiempo justo para llenar la olla de nieve recién caída. Después la puso a calentar y, mientras esperaba que la nieve se derritiese y el agua llegara a hervir, sacó del morral las verduras que había recogido del huerto por la mañana.

El huerto también era subterráneo. Estaba situado en una enorme caverna que, en lugar de puertas exteriores, tenía ventanas. Haces de aquella luz fría y pálida se colaban por ellas todas las mañanas, y ayudaban a las plantas a crecer, desafiando el intenso frío. Eran plantas fuertes y resistentes, plantas que habían sobrevivido a un mundo en el que todas las demás habían perecido. Aun así, Bipa había oído decir que, de no ser por los cuidados de Maga, aquellas plantas también morirían sin remedio.

Bipa suspiró. Sabía lo difícil que era arrancar la comida de las entrañas de su mundo, y por eso lavó las verduras concienzudamente, pero no las peló. Había que aprovechar al máximo todo lo que la Diosa entregaba.

Porque, por desgracia, la Diosa no era lo que se dice muy generosa.

Bipa sonrió para sí. Imaginaba que Maga la reñiría si se le ocurría comentar aquello en voz alta, pero era lo que pensaba. No pudo evitar recordar los gigantescos animales de las pinturas de la pared. Se imaginó lo que debería ser cazar un ejemplar. Trató de calcular cuántos días podría comer una familia con la carne de uno solo de aquellos animales, y cuántos abrigos y mantas podrían confeccionarse con su piel. Después sacudió la cabeza con energía. Nunca había visto nada semejante, y tampoco conocía a nadie que lo hubiera visto. Lo cual quería decir que, o bien aquellos animales no existían, y eran producto de las fantasías de alguien sumamente hambriento, o bien habían existido, pero ya no, o vivían demasiado lejos de las Cuevas como para que nadie llegase a toparse con uno. Se encogió de hombros. Pronto llegaría la época de las cacerías y todas las familias tendrían algo más de comida con la que llenar el puchero.

Justo cuando el agua rompía a hervir, llegó Topo. Entró por la puerta exterior, frotándose las manos, y cerró enseguida. Como todos los días, guiñó un ojo y dijo:

—¡Qué frío! ¡Más que ayer, pero menos que mañana!

—Espero que no, padre —replicó ella—, porque si cada día hace más frío que el anterior, llegará un momento en que todos moriremos congelados.

Topo rompió a reír como solía hacer siempre que Bipa respondía algo así. Se despojó del abrigo de piel que llevaba y, cuando por fin se pareció más a un hombre barbudo y orondo, y menos a una bestia bípeda blanca y peluda, abrazó a su hija y le mostró los dos pálidos peces que había traído, y que pendían del extremo de una cuerda que llevaba colgada sobre el hombro.

Mientras ella procedía a limpiar los pescados, Topo husmeó en la cazuela.

—¿No has traído hongos? —preguntó, decepcionado.

—Se los he dado a Nuba —respondió ella.

—Bien —asintió Topo.

Le encantaban los hongos, pero nunca objetaba nada cuando se trataba de hacer regalos a Nuba. La pobre mujer apenas salía de casa y su hijo, que parecía tener una inteligencia brillante para cosas absolutamente superfluas, era, en cambio, un desastre en la vida diaria.

Bipa lo miró de reojo. Topo y Nuba parecían estar hechos el uno para el otro. Y, aunque no fuera así, el sentido común decía que sería mejor para ambas familias formar una sola, pasar a una cueva más grande y reunir esfuerzos y trabajo. Pero Topo nunca se lo había propuesto a Nuba, y Bipa sabía por qué: había una razón poderosa, más poderosa aún que el recuerdo del hombre ausente, una razón que tanto Nuba como Aer parecían ignorar.

«Es mejor que Nuba siga sin saberlo —se dijo Bipa—. Pero alguien debería tener una pequeña charla con Aer al respecto.»

Comieron en silencio, y después cada cual volvió a sus quehaceres. Bipa llevaba ya un rato remendando sus zapatos de pieles cuando llamaron a la puerta exterior.

Bipa y Topo cruzaron una mirada. El hombre fue a abrir; ambos se llevaron una buena sorpresa al ver aparecer a Aer, sacudiendo la cabeza para quitarse la nieve del pelo.

—¿Otra vez tú? —fue lo primero que se le ocurrió a Bipa.

Pero Aer se rió, inmune a su antipatía.

—He venido a devolveros la cesta —anunció, depositándola en manos de Topo—. Y a traerte otra cosa —añadió.

En dos zancadas se había colocado junto a Bipa y le mostraba un colgante hecho con un material de color blanco pálido, que ella reconoció inmediatamente.

—¿No es eso tu cuarto?

—«Cuarzo» —corrigió él—. Sí, es un pedazo del cuarzo que de momento no sirve para nada. Por eso, como agradecimiento por hacérmelo ver, he hecho este colgante para ti. Toma.

Bipa tuvo que sacar la mano del gastado zapato que estaba arreglando para recogerlo antes de que cayera sobre su regazo.

—Y si no sirve para nada, ¿por qué me lo das?

Aer ladeó la cabeza y le dedicó una sonrisa fugaz.

—Porque es bonito.

Bipa lo levantó para verlo mejor a la luz del fuego. Sí, era bonito, pero seguía sin verle la utilidad. Con todo, era perfectamente capaz de captar la buena intención del regalo.

—Si tú lo dices... —murmuró, dudosa—. Gracias.

La sonrisa de Aer se hizo más amplia. Se despidió con un guiño y, sin una sola palabra más, salió de la cueva. Topo cerró la puerta tras de sí.

—Mira que es raro —refunfuñó Bipa, aún perpleja.

No sabiendo qué hacer con el regalo, lo guardó en una cajita donde solía meter las cosas pequeñas que no quería perder.

—Es un bonito detalle —comentó Topo. Bipa se giró hacia él.

—Sé lo que estás pensando. Y en primer lugar, te equivocas; y en segundo lugar, no es una buena idea.

Topo se encogió de hombros.

—Todo lo que necesita es una chica sensata que le haga poner los pies en el suelo...

—... para que luego la deje triste y sola, abandonándola por perseguir un sueño estúpido, como hizo su padre.

Topo hizo una pausa antes de contestar:

—Aer no es como su padre.

—Siempre dices que se parece mucho a él.

—Sí; comparado con nosotros, son evidentes las diferencias y por eso, al verle, todos recordamos al Extraño, al Que Vino de Lejos. Pero Aer lleva también la sangre de Nuba. Es mucho más cálido que su padre, más abierto.

Bipa lo miró de reojo.

—¿Lo conocías mucho?

—Nadie tuvo ocasión de conocerlo bien, salvo Nuba. Se quedó muy poco tiempo entre nosotros.

Bipa sacudió la cabeza.

—Hay que ser muy miserable para abandonar a una mujer embarazada.

—Por extraño que te parezca, él la quería de veras. Pero no pertenecía a este lugar. Su hogar... estuviera donde estuviese... tiraba de él, lo llamaba. Es el mismo sentimiento de añoranza que a veces veo en el rostro de Aer.

—Padre, no puedes creer en serio que existe esa Emperatriz...

—No necesariamente. Pero el Que Vino de Lejos tuvo que venir de Algún Sitio. Algún Sitio... quizá más lejos de lo que ninguno de nosotros ha llegado jamás. Y si fue capaz de llegar hasta aquí, también pudo ser capaz de regresar.

—Me contaron que Nuba lo encontró medio muerto de frío ante su puerta —señaló Bipa—. Por lo visto, lo de llegar hasta aquí fue sólo cuestión de suerte.

—Pero vino de Algún Sitio, pese a todo, y por eso no es extraño que Aer se haga preguntas.

—Lleva diciendo que va a marcharse desde que aprendió a hablar, padre. Sabes que tarde o temprano se irá en busca del palacio de la Emperatriz, de su padre o de la Diosa sabe qué. Y el día que decida hacerlo nadie va a detenerlo. Es la persona más cabezota que conozco...

—... Después de ti —bromeó Topo.

Bipa resopló.

—Padre, tú sabes que el temor a dejar a su madre sola es lo único que lo retiene aquí. Pero, ¿qué pasará cuando Nuba ya no esté? ¿Qué pasará si encuentra a otra persona que cuide de ella?

Aquella era una pregunta retórica; Bipa sabía que Topo se la había formulado a sí mismo cientos de veces en los últimos años. Porque conocía lo bastante bien a Aer como para aventurar que, si se acercaba a Nuba y ella no lo rechazaba, el muchacho acabaría por abandonar las Cuevas, en busca de una quimera, con la tranquilidad de saber que su madre estaba en buenas manos. Por esta razón Topo nunca había llegado a ofrecerle a Nuba nada más que su amistad. Para que su hijo siguiera sintiendo que ella lo necesitaba y que no podía abandonarla.

—Tal vez sea capaz de dejar atrás a su madre —murmuró—. Pero, si sienta la cabeza...

—... Lo haría igualmente. Como hizo su padre. Lo sabes.

Topo la miró con fijeza. Ella había vuelto a concentrarse en sus zapatos.

—Es una pena que ya lo des por perdido.

Bipa sacudió la cabeza.

—Su gran sueño es partir en busca del palacio de la Emperatriz. Lleva repitiéndolo tanto tiempo que se ha ganado a pulso que nadie quiera encariñarse demasiado con él. Y quien lo haga, ha de ser consciente de que tarde o temprano tendrá que llorar su ausencia. Así que él se lo ha buscado.

—En cambio, a mí me da la sensación de que está pidiendo a gritos que alguien le impida marchar.

Bipa esbozó una breve sonrisa de escepticismo.

—Ya sabes que las medias tintas no son lo mío. Si él dice «Me voy a marchar», yo interpreto «Me voy a marchar»; no «Quiero quedarme pero no puedo». No; lo de Aer es un «Quiero marcharme pero no puedo», y algún día podrá, y se marchará, y te juro que no seré yo quien se vea obligada a echarle de menos.

Topo no contestó. Bipa tampoco volvió al tema. Los dos continuaron con sus tareas, en silencio, al amor de la lumbre.

Bipa y Aer no volvieron a hablar en los días siguientes. Cada cual se dedicó a sus cosas, y en las ocasiones en que coincidieron de nuevo, en los túneles o en el exterior, cruzaron apenas unas palabras de saludo. Bipa no llevaba nunca el colgante que él le había regalado, pero, si Aer se percató de este detalle, o se molestó por ello, desde luego no lo dio a entender.

Un día, él fue a buscarla. Se encontró con ella cuando regresaba del huerto, con la cesta llena de verduras y hortalizas suficientes para varios días. La acompañó a lo largo de la gran caverna, con sus pasos largos y resueltos, y le dijo a modo de saludo:

—Esta noche puedo enseñártelo.

—¿El qué?

—Lo que te dije acerca del círculo rojo, ¿recuerdas? En la pared de la cueva.

Bipa tardó unos instantes en caer en la cuenta.

—¡Ah, eso! Es igual, te dije que no te molestases.

—Vendré a recogerte cuando todos estén dormidos.

—Ni se te ocurra —le advirtió ella; pero el muchacho hizo caso omiso de sus palabras y se alejó a paso ligero, con apenas un gesto de despedida.

Bipa tuvo muchas cosas que hacer el resto del día y pronto se olvidó de Aer. Tampoco se acordó aquella noche, cuando, rendida, cayó en la cama y cerró los ojos, abandonándose a un profundo sueño.

Lo recordó al día siguiente cuando fue a buscar las reses. Se preguntó si Aer había ido a recogerla la noche anterior. En el caso de que hubiera llamado a la puerta, ni ella ni Topo lo habían oído. Se encontró con él cuando regresaba con el rebaño.

—Siento no haber podido pasar anoche —dijo el muchacho—. Se levantó niebla a última hora, así que pensé que no valdría la pena molestarte.

Bipa no entendió lo que quería decir, pero igualmente respondió:

—No pasa nada. Es mejor que no me hayas despertado.

Aer sonrió.

—Habrá otras ocasiones, no te preocupes.

—No me preocupo —respondió ella.

Se despidieron en la puerta del corral. Mientras Bipa guiaba a las reses al interior, se le acercó otra persona a saludarla, una muchacha de su edad llamada Taba.

—Últimamente te he visto varias veces con Aer —comentó ella de forma casual.

—Sí —respondió Bipa; era obvio.

—Parece que... hum... os lleváis mejor que de costumbre —siguió tanteando Taba.

Bipa se la quedó mirando.

—No hay nada entre Aer y yo —aclaró—. No, no me gusta Aer, ni yo le gusto a él. No, no me ha hablado de ninguna chica en particular. Y no, no voy a hablarle de ti.

Taba se quedó sin habla.

—¿Qué? —se impacientó Bipa—. ¿No era eso lo que querías preguntar?

—Bueno... sí.

—Pues te he ahorrado la molestia de andarte con rodeos.

—No hace falta ser desagradable —murmuró Taba, ofendida.

—No lo soy. Sólo digo las cosas claras.

Taba no fue la última en preguntarle acerca de Aer en los días que siguieron. Con todo, como el muchacho no varió su conducta habitual, ni sus vecinos los veían juntos todos los días, pronto se acostumbraron a encontrárselos de vez en cuando hablando en alguna parte. Solían ser conversaciones muy breves, y siempre era Aer el que se acercaba a Bipa. Le enseñaba objetos que hallaba o fabricaba él mismo, le hablaba de su último descubrimiento o le comentaba la última idea extravagante que se le había ocurrido. Bipa escuchaba sin dejar de hacer lo que estuviese haciendo, y cuando Aer callaba y la miraba, expectante, la muchacha le daba su opinión, sincera y brusca en ocasiones. Pero, aunque ella dijera «Eso es una tontería», «No sirve para nada» o «No le veo sentido», Aer nunca se molestaba ni se ofendía. Sólo seguía mirándola con aquellos ojos claros, brillantes, y preguntaba: «¿Por qué?», y Bipa respondía con razones lógicas y sensatas. Aer asentía, pensativo, y decía: «Ajá. No se me había ocurrido», o bien: «No es para tanto, pero hay que tenerlo en cuenta»; le daba las gracias y se marchaba corriendo. La idea de que Aer pudiera estar interesado en Bipa inquietó durante un tiempo a las muchachas que tenían los ojos puestos en él, pero con el paso de los días se fueron tranquilizando. Aer nunca acompañaba a Bipa hasta su casa ni trataba de alargar la conversación para arrancarle unos instantes más en su compañía. Tampoco le hacía regalos —el colgante de cuarzo seguía guardado en casa de la joven, y Aer nunca manifestó intención de darle ninguna otra cosa—, ni trataba de congraciarse con Topo en vistas a una futura conversación más seria.

A Bipa al principio la sacaba de quicio, pero acabó por acostumbrarse. Nunca llegaba a saber si sus opiniones realmente contaban para algo en la vida de Aer, que seguía siendo un misterio para casi todo el mundo, pero tampoco sentía curiosidad por enterarse. Aer aprendió que podía contar con el consejo de Bipa siempre que no la distrajese de las cosas que ella consideraba importantes, ni le hiciese perder tiempo.

Pero un día, Aer dio un paso más, cuando Bipa menos se lo esperaba.

III

La Estrella de la Emperatriz

Fue durante la época de las cacerías. Cada cierto tiempo, los adultos que estaban en plena forma física establecían partidas de caza y abandonaban las Cuevas para adentrarse en las galerías subterráneas. Cuando regresaban, días después, siempre traían presas.

En las cavernas más profundas abundaban enormes orugas y distintos tipos de insectos tan grandes como el brazo de un hombre adulto. Algunos de ellos eran comestibles. No eran un gran manjar, pero la gente de las Cuevas estaba acostumbrada a comer lo que podía. Si eran afortunados, los cazadores podían topar con una bestia perdida. Las bestias eran animales peludos, que llegaban a ser tan altos como la cintura de una persona. Cuando se veían acorralados, se volvían feroces y salvajes, y sus garras y colmillos podían llegar a matar con gran facilidad a quien pretendía apresarlos. Con todo, su carne era deliciosa. Cuando los cazadores regresaban con el cuerpo de una bestia, había fiesta en las Cuevas. Se reunían todos para comer carne asada en torno a la hoguera y la noche parecía un poco menos fría.

En aquella ocasión, Topo se unió a la partida de caza, y Bipa se quedó sola. Todavía era demasiado joven para ir con ellos y, aunque sabía que lo haría algún día y que era necesario que todas las personas sanas y fuertes colaborasen, no le hacía especial ilusión. Por eso aquella noche, cuando se arrebujó en su cama, bajo la manta, compadeció a su padre, a quien imaginaba incómodamente acurrucado en los túneles, y no envidió la emoción de la cacería.

No obstante, tampoco ella pudo dormir bien. En lo más profundo de su sueño la despertaron unos rápidos golpes en la puerta.

Bipa se incorporó, aún aturdida. Lo primero que pensó fue que los cazadores habían vuelto antes de tiempo. Pero entonces se percató de que los golpes habían sonado en la puerta exterior, no en la interior, la que daba a los túneles. Inquieta, se levantó y se acercó a mirar por la mirilla.

Estaba demasiado oscuro para distinguir a la persona que aguardaba fuera, pero enseguida se oyó la voz inconfundible de Aer:

—¡Soy yo, Bipa! ¡Sal, éste es el momento!

—¿El momento de qué? —gruñó ella; pero le abrió la puerta, porque dejar a una persona a la intemperie era una tremenda descortesía.

Aer entró, sacudiéndose la escarcha del pelo y frotándose las manos para calentárselas; su amplia sonrisa, sin embargo, era capaz de fundir hasta un témpano de hielo.

—Ponte el abrigo y los zapatos, Bipa —ordenó—. Se ha abierto la niebla, pero no durará mucho; no tenemos demasiado tiempo.

Bipa puso los brazos en jarras.

—Yo no pienso ir a ninguna parte —declaró.

—No está lejos —insistió él—. Volveremos enseguida, te lo prometo.

—¿Y no podemos ir mañana?

—No, no; sólo puede verse de noche, sólo esta noche. Ven, tienes que verlo.

Bipa se lo quedó mirando un momento. Después, capituló.

—De acuerdo, está bien. Pero sólo un momento.

Se puso los zapatos y se abrigó lo mejor que pudo. Después, salió tras Aer al exterior.

Era una noche tranquila. No nevaba ni hacía viento y, como Aer había señalado, la impenetrable capa de niebla que habitualmente cubría las Cuevas se había levantado, permitiendo intuir el cielo nocturno tras un leve velo neblinoso.

Bipa siguió a Aer a través del poblado, silencioso y vacío. Cuando lo vio trepar por una colina nevada dudó un momento, pero acabó por ir tras él.

Llegó, sin aliento, a lo alto del cerro, y se detuvo a descansar. Aer se volvió hacia ella con ojos brillantes.

—Mira —dijo, señalando un punto en el horizonte.

Bipa miró.

Había algo en el cielo, una esfera azulada, clara y fría, que emitía un pálido resplandor. Estaba lejos, muy lejos; sin

embargo, transmitía una sensación sobrecogedora, como si fuese un ojo de hielo que los contemplase desde la lejanía.

—Parece un trozo de cuarzo gigante —comentó Bipa en un susurro.

Aer volvió a la realidad.

—No —dijo—. Es mucho, mucho más puro.

Pronunció la palabra «puro» con un tono anhelante, casi reverencial, y Bipa sintió un escalofrío sin saber por qué.

—Maga me contó una vez que, si no hubiese tanta niebla, veríamos en el cielo muchas más cosas como ésa —prosiguió Aer—. Se llaman estrellas y, aunque parecen pequeños pedacitos de hielo, en realidad son bolas de fuego gigantes que arden sin llegar a apagarse jamás.

—Venga ya —soltó Bipa, escéptica—. ¿Seguro que eso te lo contó Maga? ¿No sería tu madre?

—Maga dice que antiguamente la gente miraba al cielo por las noches y veía millones de estrellas —añadió Aer.

Bipa no replicó. Era propio de Maga contar historias de tiempos pasados y, ahora que lo pensaba, tal vez sí recordara haberla oído mencionar las estrellas.

—Pero eso no parece una bola de fuego —dijo, señalando a la esfera lejana que pendía sobre las montañas.

—No —admitió Aer—. Parece más bien un cristal de hielo. O quizá fuese una estrella que llegó a apagarse. El caso es que está tan cerca, tan cerca de la superficie del mundo que casi podrías tocarla.

Alargó la mano hacia la supuesta estrella. Sus dedos se bañaron en una luz fantasmal que a Bipa le pareció espantosamente fría e inhumana. De pronto sintió que no podía permanecer ni un instante más bajo la mirada de esa cosa.

—Vámonos de aquí —dijo, pero Aer no la escuchó. Inquieta, Bipa se volvió para mirarlo y vio que el muchacho se había quedado contemplando la estrella azulada que colgaba en el horizonte, fascinado. Por un instante, en sus ojos pareció relucir una réplica en miniatura de aquel pedazo de hielo celeste.

—Vámonos —insistió Bipa—. Hace más frío de lo normal.

—No parece estar tan lejos —murmuró Aer, aún hipnotizado por la estrella—. Varios días de viaje a lo sumo. Tal vez...

—Ni lo sueñes —replicó ella con energía. Tiró de él, impaciente; pero resbaló en la nieve y cayó hacia atrás, arrastrando a Aer consigo. Ambos rodaron colina abajo.

Cuando la estrella dejó de ser visible en el cielo, Bipa se sintió mucho mejor.

—Vámonos a casa —dijo—. Ya he tenido bastante por hoy.

Llevó a Aer a rastras buscando siempre el resguardo de las colinas. El muchacho la seguía, como un autómata. Aún conservaba aquel extraño brillo en los ojos y aquella sonrisa ausente.

Ninguno de los dos habló hasta que llegaron ante la puerta del hogar de Bipa.

—Vuelve con tu madre —dijo ella—. Si se despierta y ve que no estás, se preocupará.

Aer no respondió. Parecía totalmente ido, y Bipa le dio una bofetada para espabilarlo. El joven sacudió la cabeza y la miró, un poco perdido.

—Ya te dije que era una mala idea —le recordó ella—. El frío te ha congelado la sesera. Vete a la cama y duerme un poco; lo necesitas.

—Es lo que brillaba en el cielo —murmuró él—. Igual que en la pintura de la pared: una esfera sobre las cabezas de las personas.

—Esa bola era roja, no azul. Olvídate del tema, ¿quieres?

No añadió que la mancha roja de pintura le había transmitido una sensación de calidez y añoranza muy, muy diferente de la aterradora frialdad azul de aquel ojo de hielo.

—No —negó él—. Es lo que brilla sobre nuestras cabezas. Como en las historias de mi madre. La señal que guía a los viajeros.

—Deja de decir tonterías. No hay ninguna...

—La señal que guía a los viajeros —interrumpió él—, hasta el palacio de la Emperatriz. Es la luz que baña sus dominios. El Reino Etéreo.

Un escalofrío de miedo recorrió la espina dorsal de Bipa.

—Eso no existe —murmuró—. La Emperatriz es un cuento de niños.

—Pero su luz brilla en el cielo, tú la has visto igual que yo —replicó Aer; de pronto había recuperado su espléndida sonrisa—. Buenas noches, Bipa. Que la luz de la Emperatriz te guíe en la tormenta.

Bipa iba a decir algo, pero él no la dejó. Aún sonriendo, la besó en la frente y se perdió en la oscuridad de la noche.

La muchacha se quedó un momento en la puerta, sin ser capaz de reaccionar. Cuando por fin pudo cerrar, se llevó una mano temblorosa a la frente. Le había sorprendido el gesto de él, pero más todavía el sentir que sus labios tenían el tacto frío de un cadáver.

Al día siguiente, Bipa fue a ver a Maga antes de ir a buscar el rebaño.

Maga era la chamana de la Comunidad. Nadie sabía qué significaba exactamente la palabra «chamana». Tal vez tuviera algo que ver con los amplios conocimientos que Maga tenía sobre la vida o sobre el mundo en general. O quizá estuviese relacionada con su capacidad para curar a la gente, o con la forma que tenía de ser el centro de la comunidad sin ser realmente una líder, sin impartir órdenes ni promulgar leyes. Bipa creía que «chamana» significaba «sabia».

Nadie sabía tampoco qué edad tenía Maga. Llevaba allí tanto tiempo que hasta los más ancianos del lugar recordaban haber ido a visitarla de niños, para pedirle consejo. Y, sin embargo, a simple vista Maga no daba la impresión de ser tan vieja. Tenía el aspecto de una mujer madura, de rostro bondadoso, cuyos ojos parecían contener la respuesta a todas las preguntas. Los niños crecían, los adultos envejecían con el paso del tiempo, pero Maga permanecía siempre igual. Y eso, lejos de inquietar a los habitantes de las Cuevas, los tranquilizaba. Era reconfortante saber que, pasara lo que pasase, Maga siempre estaría ahí, con sus manos milagrosas, su cálida sonrisa y sus sabias palabras.

Aquella mañana, Bipa sentía más frío de lo normal. A pesar de haberse abrigado bien, se estremecía sin saber por qué, como si un soplo del invierno eterno se hubiese instalado en su corazón. Maga percibió su gesto serio y preocupado mientras las dos machacaban raíces en sendos morteros.

—¿Qué te pasa hoy, Bipa? ¿Te encuentras mal?

Ella no tuvo tiempo de responder. La chamana dejó a un lado el mortero y colocó una mano sobre su frente. La gema que pendía de su cuello, a la que ella llamaba «Ópalo» y que era el símbolo de su rango, relució un instante como un corazón en llamas. Inmediatamente, una sensación reconfortante se extendió por todo el cuerpo de Bipa.

—Gracias —murmuró ella—. Tenía frío.

—Pero no estás enferma —observó Maga; pensativa, retiró la mano y jugueteó con su amuleto—. ¿Has pasado mucho tiempo a la intemperie?

—Sólo un rato —respondió ella, y le contó su breve salida nocturna con Aer. Maga suspiró, preocupada.

—Ese chico... No importa cuántas veces se lo advierta, sus sueños son más poderosos que su sentido común.

—Estaba muy raro anoche, cuando nos despedimos —recordó Bipa—. Después de contemplar la estrella no parecía el mismo.

Maga la miró un instante. Después dijo con suavidad:

—Hace mucho tiempo, tanto que ya nadie lo recuerda, el mundo era cálido y lleno de colorido. En el cielo brillaba siempre una luz a la que llamábamos el Sol, una bola de fuego que calentaba a todas las criaturas y hacía que las plantas crecieran altas y vigorosas —al decir esto, sostuvo su Ópalo entre las manos; y Bipa se dio cuenta de que la joya se parecía al círculo rojo de las pinturas de la pared, y también al sol que Maga describía—. Pero entonces llegó el invierno... y ya no nos dejó.

—¿Qué fue del Sol? —preguntó Bipa, estremeciéndose.

Maga se encogió de hombros.

—Sigue ahí, en alguna parte. Lo sabemos porque aún existen la noche y el día, y eso significa que el Sol todavía sigue emergiendo por el horizonte cada mañana. Pero la niebla, las nubes y la nieve nos impiden verlo.

»Y en las noches más claras puede observarse la Estrella, fría e inquietante, una luz que no calienta y que, según algunas leyendas, señalaba la ubicación del Reino Etéreo y del palacio de la Emperatriz.

Bipa sacudió la cabeza.

—¿Existe realmente esa Emperatriz?

—No lo sabemos —respondió Maga—, porque de allí nunca ha vuelto nadie para confirmarlo.

Bipa meditó sobre sus palabras.

—¿Y la Estrella ya existía en tiempos antiguos? —quiso saber.

Maga reflexionó.

—Las leyendas hablan de la existencia de un astro llamado Luna —dijo al fin—. Pero dicen que era blanco y que cambiaba de forma cada noche. Podría ser que estuviesen equivocadas y que la Estrella fuese en realidad la Luna de las leyendas. No lo sé.

Bipa calló un momento.

—¿Por qué me has contado esto? —preguntó entonces.

—Para que entiendas un poco mejor la naturaleza de la Estrella. Dicen que en la región sobre la cual brilla no nieva nunca, ni hay tormentas, ni hace tanto frío como aquí. Pero ahora que la has mirado cara a cara, tal vez comprendas que, a pesar de todo, es más seguro habitar en las Cuevas, lejos de su luz azulada. Lamentablemente, Aer no opina igual que yo.

—Comprendo —murmuró Bipa.

Hubo un breve silencio. Entonces Maga dijo:

—Se te va a hacer tarde. Vete a sacar al rebaño, ¿de acuerdo?

—Pero... no he terminado con esto...

—Yo me ocuparé. Habrá muchas otras ocasiones de preparar este remedio, no te apures.

Bipa asintió, aunque aún se sentía algo culpable. Todos los jóvenes tenían la obligación de ir a visitar a Maga regularmente para aprender de ella. Era importante que sus conocimientos se transmitieran y se conservaran, pero a menudo Bipa tenía la sensación de que ni yendo a visitarla todos los días durante el resto de su vida llegaría a saber la mitad de lo que ella sabía.

Por ejemplo, nadie en las Cuevas era capaz de curar a los enfermos de la forma en que ella lo hacía. La gente estaba al corriente de que tenía algo que ver con el Ópalo que pendía de su cuello, pero nadie entendía cómo funcionaba la piedra ni cuál era su relación con los misterios de la salud y la enfermedad. Maga solía decir que el Ópalo era un regalo de la Diosa.

Y, como cumplía su función, nadie veía la necesidad de indagar más.

Nadie, salvo Aer, naturalmente.

Bipa se despidió de Maga y se encaminó hacia el corral para llevar a cabo su trabajo de pastoreo. Pronto se olvidó de la Estrella, de aquel extraordinario Sol que, según Maga, había alumbrado el mundo en días pasados, del comportamiento de Aer y del frío que la chamana había desterrado de su alma. El resto del día transcurrió tranquilo y monótono, en un ambiente más silencioso de lo habitual debido a la ausencia de los cazadores.

Al anochecer, Bipa aún no se había tropezado con Aer, pero eso no le extrañó.

Se retiró a su casa, se puso cómoda, encendió el fuego, cerró bien la puerta y preparó la cena.

Cuando estaba ya en la cama, alguien llamó con insistencia.

Con un suspiro exasperado, Bipa se levantó y fue a abrir, imaginando que sería Aer otra vez. Sin embargo, quien le aguardaba fuera, con el rostro teñido de preocupación, era Nuba.

—Buenas noches... —empezó Bipa, sorprendida, pero la mujer la cortó:

—¿Has visto a Aer?

Bipa abrió la boca, perpleja, pero no se le ocurrió nada que decir. Nuba pareció darse cuenta de su desconcierto, porque se corrigió:

—Perdona... Buenas noches, Bipa. Estoy buscando a Aer. No lo he visto en todo el día, y me preguntaba si tú...

No llegó a completar la frase. Se quedó mirando a la chica, suplicante.

En otras circunstancias, Bipa le habría respondido que no era necesario preocuparse, pues Aer desaparecía a menudo, y sin duda regresaría pronto. Pero no pudo evitar recordar la Estrella, aquel ojo gélido e inhumano, y la expresión de Aer al contemplarla.

—Pasa, no te quedes en la puerta —la invitó—. Acércate a las brasas.

Nuba entró, pero permaneció junto a la entrada, inquieta. Bipa hizo ademán de aproximarse a la cocina para preparar algo caliente, pero el nerviosismo de Nuba era palpable, y comprendió que no podía esperar más.

—No, no lo he visto desde ayer por la noche —dijo.

Nuba frunció el ceño.

—¿Ayer por la noche?— repitió.

—Vino a buscarme para enseñarme algo que había en el cielo.

Nuba palideció.

—La Estrella de la Emperatriz. La que guía a los caminantes hacia el Reino Etéreo.

—Se veía muy clara anoche —asintió Bipa, con un leve tono de reproche en la voz—. ¿Le contaste tú todo eso sobre el Reino Etéreo? Porque él cree que es cierto.

—Es que es cierto —replicó Nuba—. Aer... como su padre... siente la llamada de la Emperatriz. Y ahora ha ido en su busca —concluyó, desolada.

Bipa la miró, muy seria, preguntándose cómo era posible que los adultos pudieran cometer en ocasiones estupideces propias de un niño pequeño.

—¿Y qué harás si decide ir a buscar ese palacio? ¿No habría sido mejor no decirle nada al respecto?

Nuba sonrió tristemente.

—Habría sido lo más fácil —admitió—, pero no lo correcto. Aer tenía derecho a saber de dónde procede y por qué es diferente.

—Tú lo has hecho diferente —replicó Bipa sin poderse aguantar—. ¿De qué le van a servir todas esas historias si se marcha a buscar a la Emperatriz y muere congelado?

Nuba la miró, dolida, pero no fue capaz de responder. Bipa sabía que estaba siendo dura, pero le parecía una situación tan absurda que no podía evitar decir lo que pensaba. Con un suspiro impaciente, fue a buscar su abrigo.

—Vamos a decírselo a Maga —decidió—. Tal vez ella sepa qué hacer.

No había en las Cuevas muchas personas capaces de unirse a la búsqueda. Los adultos seguían de cacería, y en el poblado sólo quedaban los ancianos, los niños y los más débiles. Con todo, Maga organizó un grupo de rastreo con los chicos y chicas jóvenes. Por fortuna seguía habiendo buen tiempo, y aunque la niebla cubría completamente el cielo, ocultando la lejana Estrella que había seducido a Aer, no nevaba ni soplaba el viento.

Al amanecer, los jóvenes regresaron a sus casas, agotados y sin haber hallado ni rastro de Aer, para desesperación de Nuba.

Un rato más tarde regresaron por fin los cazadores. Traían buenas piezas, aunque no habían dado con ninguna bestia, y venían cansados, pero de buen humor. No obstante, en cuanto se enteraron de la desaparición de Aer organizaron rápidamente una batida y sustituyeron a los jóvenes en la búsqueda.

Por la tarde, sin embargo, se desató una violenta tormenta de nieve. Cuando, casi al amanecer, Topo regresó a casa con semblante grave, Bipa lo miró interrogante.

Topo negó con la cabeza. No hicieron falta palabras. La muchacha suspiró, apenada. A aquellas alturas, si no habían encontrado a Aer, ya no lo harían. Nadie podía sobrevivir a una tormenta como aquélla a la intemperie. Aunque no lo quisieran, tenían que interrumpir las labores de rastreo.

—Pobre Nuba —comentó Bipa. Aunque hacía tiempo que sabía que aquello iba a pasar, sentía un extraño peso en el corazón—. Será imbécil —masculló, refiriéndose a Aer.

—Lo vas a echar de menos —adivinó Topo.

Bipa se encogió de hombros.

—Siempre supe que se marcharía... desde el principio. Y mira que os lo dije: No os encariñéis con él, es una pérdida de tiempo. Pero, claro... Nuba no tuvo opción. Es su madre.

—Se va a quedar sola —dijo Topo, preocupado—. Me gustaría acompañarla, pero es demasiado pronto y no sé si resulta apropiado, dadas las circunstancias.

Bipa sonrió ante los apuros de su padre.

—La madre de Taba se ha instalado en su casa —explicó—. Le hará compañía los primeros días.

Topo se relajó. Duna, la madre de la joven Taba, había perdido a su hijo menor cuando sólo era un niño. Tenía una edad similar a Nuba, se llevaban bastante bien y, lo más importante, comprendía el dolor que le estaría causando a Nuba la desaparición de su hijo.

—Pobre Nuba —repitió Topo las palabras de Bipa.

Ella masculló de nuevo un «será imbécil» y se fue a la cocina a preparar algo caliente para su padre, que venía helado y se había pegado al fuego.

Prosiguieron la búsqueda cuando amainó la tormenta, pero, tal y como esperaban, no hallaron ni rastro de Aer. Pasado un tiempo prudencial, lo dieron por muerto y celebraron un pequeño funeral en su honor. Maga pidió a la Diosa que acogiera su espíritu en su seno, y todos recordaron al extraño muchacho que en parte era como ellos y en parte pertenecía a otro mundo, de cuya existencia todavía dudaban.

Nuba lloraba silenciosamente, pálida y con aspecto de estar muy trastornada. Algunas chicas, entre ellas Taba, también sollozaban de forma bastante ostentosa. Bipa no derramó una sola lágrima.

No fue la única. Había rostros apenados, sin duda, pero la muchacha tuvo la impresión de que la mayoría de los presentes sentía más la desgracia de Nuba que la pérdida de Aer. Y sí, Bipa lo sentía por la madre del muchacho, pero en los últimos tiempos había pasado bastantes ratos con Aer, y en el fondo sabía que Nuba no era la causa del peso que tenía en el corazón.

Poco a poco, la comunidad recuperó su ritmo y con el tiempo todos volvieron a sus tareas cotidianas. Al cabo de unos días ya no se hablaba de Aer. Duna acabó por regresar a su casa, con su compañero y con su hija, y Nuba se quedó sola de nuevo.

Topo y Bipa iban a visitarla a menudo, aunque la joven no se sentía cómoda allí. Porque invariablemente terminaban hablando de Aer, y ella no quería hablar de Aer, no quería recordarlo. Era mejor continuar con su vida, seguir adelante, porque Aer se había ido y no iba a volver.

Todos lo sabían; y, sin embargo, Bipa aún detectaba aquel brillo en los ojos de Nuba cuando hablaba de su hijo: la mujer todavía abrigaba la esperanza de verlo regresar de entre los muertos, igual que había aguardado inútilmente durante años el retorno del hombre que la había abandonado.

Bipa quería olvidar, pero no se lo permitían. No sólo se trataba de Nuba; para su sorpresa, descubrió que su pequeño mundo estaba repleto de detalles que le evocaban a Aer: las pinturas de la pared de la cueva donde aún llevaba a veces a pastar al rebaño; la colina adonde habían subido aquella noche para contemplar la Estrella; la cesta que le había prestado y que él le había devuelto, junto con aquel regalo sin utilidad...

Bipa todavía lo conservaba. Lo encontró en la cajita donde lo había guardado, cuando, apenas unos días después del funeral, la abrió para sacar de su interior un ovillo de lana que necesitaba. Sus dedos toparon con el trozo de cuarzo y lo sacó para verlo a la luz del fuego. Suspiró. Pensó en tirarlo, porque no le haría ningún bien guardarlo y porque no servía para nada, salvo para inundar su mente de recuerdos y volver a hacerle sentir aquella angustiosa opresión en el pecho. Pero finalmente, tras un instante de duda, volvió a introducirlo en la caja, con el resto de pequeñas cosas útiles y cotidianas que conservaba en su interior.

Y, una noche, mientras el viento silbaba con furia y la nieve golpeaba el tejado sin piedad, justo cuando Bipa había logrado pasar un día entero sin pensar en Aer, él tuvo la desconsideración de regresar sin ser ya esperado, emergiendo de la oscuridad como un fantasma inoportuno. Bipa estaba sola aquella noche. Topo se encontraba en casa de Nuba; solía ir a hacerle compañía después de cenar, porque era el momento en que ella se sentía más triste. Por eso Topo llegaba con algún regalo, algo de comer o alguna cosa que ella necesitara, y le daba conversación hasta que a la mujer, rendida, se le cerraban los ojos, bordeados de arrugas, envejecidos prematuramente. Entonces Topo la acompañaba a la cama, apagaba el fuego y se marchaba en silencio, dejándola descansar. A veces le daba un beso en la frente, para desearle buenas noches, y ella sonreía. Ambos sabían que, aunque Nuba apreciaba de veras todo lo que Topo hacía por ella, su corazón estaba lejos de allí.

Ambos lo sabían y lo aceptaban y, porque Topo la conocía, la comprendía y la amaba, no aguardaba nada que ella no pudiera darle.

Bipa no se entrometía. Le habría gustado ver a Nuba y a su padre juntos, como pareja, y creía sinceramente que Topo podría hacerla feliz, pero entendía que eso sólo sucedería si Nuba le abría su corazón. Mientras no fuera así, nada debía ser forzado, o la consoladora amistad que ambos compartían se perdería para siempre.

Aquella noche, como tantas otras, Bipa no esperó a Topo levantada. Ella solía acostarse temprano y madrugar mucho, y a menudo las veladas en casa de Nuba se prolongaban hasta muy tarde, porque la mujer temía el momento de irse a dormir, pues sus sueños le traían recuerdos de los ausentes que con frecuencia se transformaban en oscuras pesadillas.

Bipa, que tenía un sueño pesado y profundo, se preguntaba cómo debía de ser que los temores de alguien cobraran vida todas las noches.

Estaba pensando en ello, a punto ya de meterse en la cama, cuando sonaron unos golpes en la puerta. Perpleja, Bipa se echó una manta sobre los hombros y acudió a abrir. Supuso que sería su padre; aunque él no solía llamar cuando llegaba a casa, tal vez en aquella ocasión lo acompañara Nuba.

Pero era Aer quien aguardaba fuera, un Aer sumamente pálido y delgado, con su pelo castaño claro cubierto de nieve y la nariz amoratada, casi congelada. Sus ropas estaban hechas jirones y se apoyaba contra el quicio de la puerta, incapaz de sostenerse en pie por sí solo.

Parecía salido de las entrañas de una de las pesadillas de Nuba, y Bipa no pudo evitarlo. Gritó.

Aer sonrió un poco. Fue una sonrisa torcida, tirante, como si tuviese el rostro helado, o como si hubiese olvidado cómo sonreír.

—Hola..., Bipa —susurró.

Antes de que ella pudiera contestar, el muchacho dejó caer el bulto que arrastraba tras de sí, puso los ojos en blanco y se desplomó entre sus brazos, inerte. Bipa luchó por mantener el equilibrio y tiró de él para meterlo en la casa. Estaba frío, muy frío, pero era indudablemente corpóreo, y eso significaba que estaba allí... y estaba vivo.

Bipa se mordió los labios para aguantar las lágrimas y se esforzó por pensar con claridad. Lo despojó de su abrigo, lleno de nieve, y, como pudo, lo arrastró hasta la cama más cercana, la suya. Lo cubrió con todas las mantas que encontró y avivó el fuego. Después, lo miró.

—Si sales de ésta, tendrás que dar muchas explicaciones —murmuró.

Aer no respondió. Había perdido el conocimiento. Bipa cerró los ojos un momento y respiró hondo, tratando de tranquilizarse. Cuando volvió a mirar, Aer seguía allí, pálido, helado, delirante. No era un sueño. Había regresado.

Pero ¿de dónde? ¿Y cómo había logrado sobrevivir tanto tiempo a la intemperie?

Bipa sacudió la cabeza, alejando aquellas dudas de su mente. Lo más urgente era decidir qué iba a hacer a continuación. Por supuesto que debía avisar a Nuba, y también a Maga, pero no se atrevía a dejar solo a Aer. No solamente por el estado precario en el que se encontraba, sino porque una parte de ella temía que, si desviaba la atención aunque fuera un solo instante, el joven se esfumaría de nuevo.

«Eso es una tontería —se dijo—. Tal y como está no va a ir a ninguna parte.»

Pero, ¿y si despertaba? Por débil que se encontrase, había demostrado en varias ocasiones que no se podía esperar de él que actuase de forma sensata. Alargó la mano para colocarla sobre su frente. Notó que le había subido la temperatura; eso era bueno, significaba que estaba entrando en calor.

Recordó entonces el bulto que había traído consigo, y abrió la puerta para recuperarlo. Era su viejo y ajado morral.

Bipa lo introdujo en la casa, lo dejó en un rincón y cerró la puerta.

Después, se sentó junto a Aer y aguardó.

Tras un rato que se le hizo eterno, la puerta exterior se abrió con suavidad, y Topo entró en la casa de puntillas. Se detuvo en seco; era obvio que no esperaba ver a Bipa levantada a aquellas horas. Casi enseguida reparó en la persona que yacía sobre la cama de ella, y parpadeó, desconcertado, al reconocer a Aer. Su cabello, más claro que el de los otros habitantes de las cuevas, era inconfundible.

—¿Cómo...? —empezó, pero no pudo continuar. Bipa se encogió de hombros, incapaz de dar una respuesta. En dos zancadas, Topo se plantó junto al muchacho inconsciente y lo tocó para asegurarse de que era real. Cuando se hizo a la idea, su rostro resplandeció de alegría:

—¡Hay que avisar a Nuba! —exclamó; ya se iba corriendo hacia la puerta cuando Bipa lo detuvo.

—No; hay que avisar a Maga. Está muy enfermo y no sé si aguantará hasta el amanecer.

Topo la miró un momento y afirmó:

—Tienes razón —volvió a ajustarse la bufanda en torno al cuello y añadió—: Voy a ver a Maga. Tú quédate con él y asegúrate de que entra en calor.

Ella asintió. Apenas unos instantes después, Topo había desaparecido por la puerta interior.

Bipa no tuvo que esperar mucho. Su padre no tardó en regresar con Maga, que les ordenó que se hicieran a un lado y examinó el rostro de Aer con atención. Después, colocó ambas manos sobre su frente y musitó una oración a la Diosa suplicando su ayuda. Bipa vio relucir el Ópalo que pendía de su cuello e, inmediatamente, Aer dejó de temblar y se sumió en un sueño reparador.

—Ya ha entrado en calor —dijo Maga en voz baja—. Se recuperará, pero no debe levantarse de la cama, todavía.

—¿Cómo... cómo ha podido sobrevivir tanto tiempo ahí fuera? —murmuró Bipa.

Maga sacudió la cabeza.

—Eso sólo la Diosa lo sabe. Volveré mañana —añadió—, para ver cómo está. Ahora voy a casa de Nuba a contarle lo que ha pasado. Me imagino que no tardará en venir, y que querrá llevarse a su hijo con ella, pero es muy importante que no lo mováis, al menos por el momento. Todavía está demasiado débil como para salir al exterior.

—Voy contigo a ver a Nuba —dijo Topo, con una amplia sonrisa—. Quiero darle la noticia personalmente.

De modo que Bipa se quedó otra vez a solas con Aer. El muchacho no había reaccionado, pero tenía mejor aspecto. Sus mejillas volvían a presentar algo de color, y su nariz ya no estaba tan amoratada. Bipa se preguntó cómo serían los días que se avecinaban, con Aer reponiéndose en el pequeño hogar que compartía con su padre.

Sí; no cabía duda de que con Aer no había lugar para la monotonía. El joven siempre se las arreglaba para que le sucediesen cosas extrañas. Y Bipa quería vivir una vida tranquila, pero estaba claro que los problemas en los que se metía Aer no le afectaban únicamente a él, sino también a todos los de su entorno.

«Ni hablar —se rebeló—. Cuando se recupere, se irá a su casa y se acabó. No más visitas a horas intempestivas, ni más escapadas furtivas en la oscuridad. Yo sólo quiero que me dejen dormir.»

Aquella noche, no obstante, le resultó imposible. No tardó en llegar Nuba hecha un mar de llanto; se abrazó a su hijo como si temiese que fuera a esfumarse en cualquier momento. Y luego también pasaron por allí los vecinos, alertados por el alboroto. Finalmente, Bipa tuvo que echarlos a todos, alegando que Aer debía descansar y que Maga había dicho que se le molestara lo menos posible. Y así, hasta Nuba se marchó a casa, agotada por tantas emociones, pero aún resistiéndose a dejar a Aer.

—Vete a dormir —le dijo a Bipa su padre cuando todos se marcharon—. Acuéstate en mi cama. Yo dormiré en la silla.

Bipa no replicó. No era la primera vez que Topo se quedaba dormido sobre su confortable sillón cubierto de pieles, acomodado junto al fuego. De modo que se introdujo entre las mantas y casi enseguida se durmió, pues estaba rendida.

Lo último que oyó antes de dormirse fue la lenta respiración de Aer desde la cama contigua.

IV

La partida

El joven tardó menos de lo que esperaban en recuperar el conocimiento. Mientras estuvo convaleciente se comportó con normalidad, aunque en ocasiones decía cosas muy extrañas, y, por el contrario, nunca hablaba de lo que había hecho durante su ausencia.

Nuba pasaba casi todo el tiempo con él. Bipa seguía la misma rutina de siempre, pero por las noches, cuando preparaba sopa para todos, se sentaba junto a él y le ofrecía un cuenco. Solían quedarse a solas cuando Topo acompañaba a Nuba de vuelta a su casa. En una de aquellas ocasiones, Aer le dijo:

—Yo tenía razón, Bipa. El palacio de la Emperatriz existe. Me lo dijo Gélida.

—¿Quién es Gélida? ¿La Emperatriz?

—No, Gélida es Gélida —replicó él; trató de incorporarse, pero Bipa no se lo permitió—. También ella sueña con llegar hasta la Emperatriz. Ella...

—Estás delirando —le interrumpió Bipa—. Deja de decir tonterías, ¿quieres? Por poco te mueres ahí fuera buscando ese palacio que nadie ha visto. Confundes tus fantasías con la realidad. Tu madre...

—Mi madre no tiene nada que ver con esto —cortó Aer, y, por una vez, Bipa lo vio serio, casi enfadado—. Sé muy bien cuándo sueño y cuándo estoy despierto. Sé muy bien lo que he visto, y te lo voy a demostrar.

Se volvió hacia todos lados con cierta agitación. Bipa tuvo que retenerlo para que no saltara de la cama.

—¿Se puede saber qué buscas?

—Mi mochila. La traje conmigo...

—Ahora te la alcanzo, pero estate quieto, ¿quieres?

—Cuidado, ¡cuidado! —exclamó Aer al ver que Bipa cogía la mochila de cualquier manera—. ¡No la zarandees de esa forma!

Bipa depositó el morral sobre sus rodillas. Aer lo abrió con suma delicadeza y sacó un bulto envuelto en trapos.

—Mira —dijo en voz baja—. ¿A que nunca habías visto nada como esto?

Lo desenvolvió, descubriendo un objeto de rara y delicada belleza. Tenía la forma de una flor; una flor mucho más hermosa y magnífica que cualquiera de las que brotaban de las tristes plantas del huerto. Sus hojas se alzaban con orgullo, sus pétalos eran perfectos...

Pero no era una flor de verdad. Era dura y transparente, como el hielo, como el cuarzo, pero muchísimo más pura. Tanto, que podía verse perfectamente a través de sus pétalos, como si no estuviese allí.

—Es una flor de cristal —susurró Aer—. Es muy frágil; cualquier golpe podría romperla en cientos de pedazos.

—Pero... no es de verdad —dijo Bipa en el mismo tono—. Quiero decir que no puede haber crecido en el suelo, ¿no? No es una planta que haya nacido de la tierra. No se puede comer.

Aer suspiró con impaciencia.

—Claro que no se come. Lo importante no es la flor, sino el cristal. Es hermoso, ¿verdad?

—Sí que lo es —admitió Bipa. Estuvo a punto de añadir: «Pero no sirve para nada». Por fortuna, se contuvo a tiempo.

—¿Puedo tocarla? —preguntó.

Aer sonrió.

—Claro —dijo—. La he traído para ti.

Bipa lo miró, perpleja.

—¿Para mí? Pero... —no pudo seguir. Por una vez se había quedado sin palabras.

—Para demostrarte que mis padres tenían razón —explicó él—. Que existen más cosas lejos de aquí. Yo estuve en casa de Gélida y me llevé esta flor de su colección de tesoros. Porque tú no estabas allí para verlo y de alguna manera tenía que demostrarte que era real.

—¿Se lo robaste a otra persona? —casi gritó Bipa.

Aer sonrió con picardía.

—Créeme; si la conocieras, no lo lamentarías lo más mínimo. Ahora mismo debe de estar bastante enfadada, pero no me arrepiento. Aunque Gélida es la mujer más hermosa que he visto jamás, esta flor no fue hecha para ella. En cuanto la vi supe que debía traértela.

Bipa seguía sin saber qué decir, en primer lugar porque lo que le estaba contando Aer le parecía una sarta de disparates, y en segundo lugar porque lo inesperado del regalo todavía le impedía reaccionar. Tomó la flor con delicadeza entre sus manos y la alzó para verla mejor a la luz del fuego. Lanzó una exclamación de sorpresa cuando la luz se refractó en el cristal, desparramando todo un arco iris de colores sobre sus asombrados rostros.

—Nunca había visto nada igual —reconoció Bipa.

Pero Aer parecía horrorizado.

—No... ¡apártala de ahí! El cristal ha de ser puro... transparente... ¿No lo entiendes?

—No —respondió Bipa—. Si la única función de este objeto es la de ser hermoso, creo que lo es más todavía cuando le da la luz. Así, apagado, es mucho más soso.

—¡Soso! —repitió Aer escandalizado. Le arrebató la flor de las manos—. Desde luego —dijo, de mal humor—, eres la más opaca de todos los opacos.

—¿Cómo me has llamado? —replicó Bipa, estupefacta.

Aer cerró los ojos un momento, cansado. Cuando los abrió sonreía de nuevo.

—No importa —dijo—. La flor es tuya, puedes hacer con ella lo que quieras. Como si decides romperla porque no sirve para nada.

Era una opción, se dijo Bipa; pero, contemplando de nuevo los delicados pétalos de cristal, pensó que era una lástima; alguien debía de haber invertido mucho tiempo en hacerla, la Diosa sabría cómo. Aunque no tuviera ninguna utilidad, por respeto al trabajo ajeno valía la pena conservarla. Además, Aer tenía razón: era hermosa.

—No voy a romperla —le aseguró.

La cogió con cuidado para depositarla sobre la chimenea, lejos del borde, para que no se cayera por accidente. Allí se veía muy bien y no corría peligro de romperse.

Aer sonrió satisfecho, y se recostó bajo las mantas.

—Me alegro de que te guste —dijo con cierto esfuerzo; aún estaba convaleciente y se cansaba con facilidad—. Y de que quieras conservarla. No sólo por lo que me costó conseguirla, sino... porque he vuelto sólo para traértela.

Sus últimas palabras fueron apenas un murmullo. Instantes después, ya dormía otra vez.

Aer no tardó en regresar a su propia casa con su madre, y todo volvió a la normalidad. Tanto él como Nuba recibieron muchas visitas aquellos días. La gente quería saber cómo estaba y qué había estado haciendo y, si bien él seguía sin hablar de su experiencia —Bipa pronto comprobó que no le había mencionado a nadie más la existencia de Gélida—, agradecía su interés con una misteriosa sonrisa.

Casi nadie reparó en la bella flor de cristal que adornaba el hogar de Bipa y Topo. Por alguna razón, la chica no quería hablar de ello.

Maga sí la vio. En una de las visitas a la casa, cuando Aer todavía estaba allí, convaleciente, su mirada se posó sobre la repisa de la chimenea, y su frente se arrugó levemente. Sin embargo, no dijo nada.

No cabía duda de que todos se sentían felices de haber recuperado a Aer; aunque hubieran celebrado su funeral y hubieran consolado a Nuba por su pérdida y, por tanto, se sintieran un poco desconcertados.

Nadie regresaba de la muerte. La Diosa no devolvía nunca lo que reclamaba para sí. Por eso no sabían cómo comportarse con Aer. Lo acogieron con alegría, pero a la vez, con cierta reserva. Hasta Taba mantenía las distancias.

Era como si la presencia de Aer fuese solamente un espejismo; como si esperasen que desapareciera de nuevo en cualquier momento.

Y Bipa empezó a temer que sería así.

A medida que Aer iba recuperando fuerzas se volvía cada vez más huraño y distante, más frío, más serio. Por las noches subía a la colina nevada y contemplaba el horizonte, aun cuando la mayoría de las veces las nubes y la niebla ocultaran la Estrella por completo. Él sabía que estaba allí, y eso le bastaba.

En cierta ocasión, Maga fue a buscarlo a lo alto de la colina y trató de hacerle bajar. Mantuvieron una agria discusión —y Maga nunca discutía con nadie—, pero no llegó a saberse de qué hablaron ni qué se dijeron, porque no lo comentaron con ninguna otra persona.

Lo que sí supo Bipa, porque Topo se lo contó, fue que, a raíz de la intervención de Maga, Aer dejó de salir por las noches. En su lugar, se pasaba el tiempo en casa, enfurruñado.

—No está bien de la cabeza —murmuró Bipa.

—Nuba tiene la esperanza de que tú logres hacerle entrar en razón —dijo Topo.

—¿Yo? ¿Y por qué yo?

La mirada de Topo se desvió, de forma bastante elocuente, hacia la flor de cristal que descansaba sobre la chimenea.

—No quieras cargarme de responsabilidades que no me corresponden —protestó ella—. Entre Aer y yo no hay nada. Que a él le dé de vez en cuando por contarme sus chifladuras y por regalarme cosas raras no nos convierte en pareja. Ni siquiera sé si somos amigos de verdad. No me corresponde cuidar de él, padre, y lo sabes. Incluso en el caso de que Nuba y tú os fuerais a vivir juntos en un futuro, si eso nos convirtiera en hermanos, él sería el hermano mayor, así que no tengo por qué cuidar de él.

Se detuvo para recuperar el aliento. Topo no dijo nada. Sólo la miró, pensativo.

—Ya te he dicho muchas veces —concluyó ella con más suavidad— que no quiero encariñarme con él. Porque si le pasa algo lo echaré de menos. Pero es que encima Nuba y tú pretendéis que me responsabilice de él. Para que, si le ocurre algo, además de echarle de menos me sienta culpable. ¿No comprendes que es injusto, padre?

Topo suspiró.

—Puede que tengas razón. Puede que no haya nada que podamos hacer por él. Tal vez se calme con los años y pueda llegar a ser feliz, o tal vez vuelva a desaparecer, y en esta ocasión no regrese. Tal vez...

—En cualquier caso —cortó Bipa—, es decisión suya. Si quiere hacer locuras, que las haga, es su problema. Sólo lo siento por Nuba —añadió en voz baja.

No hablaron más sobre el tema aquella noche. Cuando Bipa se metió en la cama, echó un vistazo a la flor que relucía misteriosamente sobre la chimenea.

Recordó que, una vez, cuando eran niños, le había dicho a Aer que no encontraría en el exterior nada que superara lo que las Cuevas podían ofrecerle.

Pero Aer se había ido de todos modos, y había hallado a una mujer llamada Gélida, y una flor de cristal. Y muchas otras cosas más, de las que no le había hablado. Y debía de echarlas de menos, puesto que no parecía feliz de haber regresado con los suyos.

«Nada de lo que puedas encontrar ahí fuera puede ser mejor que lo que dejarías atrás», le había dicho Bipa aquella noche de tormenta, hacía ya tanto tiempo.

Suspiró. Ahora comprendía que se equivocaba; que, aunque no entendía la razón, para Aer nada de lo que había en las Cuevas podía superar lo que el Exterior le prometía.

Ni siquiera su madre. Ni siquiera la propia Bipa. Así que, ¿para qué perder el tiempo tratando de hacerle entrar en razón? Sería humillante. Y doloroso, en cierto modo. Pero su padre no comprendía que, cuando una mujer debe suplicar a un hombre que no se vaya, es porque él no tiene interés en quedarse a su lado. Para Bipa, el mensaje estaba claro.

Y Aer se lo confirmó al día siguiente.

Porque volvió a desaparecer, sin despedirse, sin dejar ni rastro.

Y, aunque muchos tenían la esperanza de que regresaría, Bipa sabía que era una esperanza vana. Porque él mismo se lo había dicho. Había vuelto sólo para llevarle la flor, para contarle que estaba equivocada. Aquella era su única cuenta pendiente con el mundo de las Cuevas, y ya estaba saldada.

Le dolió más de lo que había imaginado. Perderlo por segunda vez fue casi peor que haberlo dado por muerto la vez anterior.

Nuba estaba desconsolada; Topo, enfadado; Maga, resignada. Y el resto de la gente, desconcertados. No sabían si partir en su busca o no; si llorar su muerte o no.

Porque, si organizaban una búsqueda, era probable que no lo encontraran; y, si volvían a celebrar su funeral, era posible que él regresase de nuevo para trastocar sus vidas otra vez y volver el mundo del revés. Porque los muertos no regresaban, pero él lo había hecho.

Al final fueron muy pocos los que partieron en busca de Aer, Bipa y Topo entre ellos. Como era de esperar, no hallaron nada. Ni siquiera un cuerpo que pudieran enterrar para darlo definitivamente por muerto. Por eso en esta ocasión no hubo funeral; y la gente de las Cuevas volvió a sus tareas cotidianas sin saber si Aer estaba vivo o no. Era, simplemente, un desaparecido, como lo había sido su padre.

Y, como Bipa sospechaba, estar desaparecido era casi peor que estar muerto, al menos para la gente que lo esperaba. Porque existía la posibilidad remota de que volviera, y, mientras no supieran a qué atenerse, seguirían aguardándolo, tal vez meses, tal vez años, quizá toda la vida.

Y Bipa comprobó, con horror, que también ella, como Nuba, oteaba el horizonte a menudo, con el deseo de ver a Aer aparecer entre una cortina de nieve, desafiando al frío y a la muerte y saliendo vencedor, como ya había hecho una vez.

Y vio a Nuba en la puerta de su casa, también contemplando el horizonte, con la piel marchita y los ojos apagados, tan sólo alimentados por una febril llama de esperanza.

La esperanza era un sentimiento positivo, o al menos eso decía la gente. Pero Bipa sabía la amarga verdad: la esperanza podía llegar a ser cruel, oh, sí, terriblemente cruel... Podía convertir a una muchacha enamorada en una mujer triste y débil, perdida en sus ensoñaciones y en recuerdos de un tiempo que no volvería. La esperanza podía trastornar a una persona hasta hacerle rozar la locura.

En aquel momento, Bipa miró a Nuba, su rostro dulce y cansado, y su mirada siempre prendida en el horizonte, en aquel mundo que no era el suyo y que jamás alcanzaría, pero que había aprisionado ya su mente, sus deseos y su voluntad. Y decidió que no quería ser como ella.

Aquel día no sacó al rebaño a pastar. Le pidió a Pado, un muchacho un poco más joven que ella, que lo hiciera en su lugar, y fue a ver a Maga.

Cuando llegó a su casa, la halló atendiendo a un anciano que tenía dolores de espalda. Aguardó en la puerta, para no molestar, pero Maga dijo:

—Remueve el puchero o se pegará al fondo.

Y Bipa obedeció. Uno de los nutritivos caldos de Maga bullía en la olla, con lentitud, desparramando por la habitación un olor profundo y delicioso. Bipa removió el contenido del puchero con cierta solemnidad, como todo lo que hacía para Maga. Porque todo aquello en lo que Maga trabajaba era importante, y ella era consciente de que debía realizar lo mejor posible cualquier tarea que la chamana le encomendara, por simple que pareciese.

Las manos de Maga masajeaban los frágiles hombros del anciano, su columna, cada una de sus vértebras. Mientras, el Ópalo relucía, generando aquel reconfortante calor que todo el mundo asociaba a la mirada de Maga, al milagroso tacto de sus dedos.

El tiempo se deslizó lentamente, marcado por las vueltas del cucharón y por el crujir de los huesos del anciano. Por fin, cuando Maga terminó y su paciente se fue, mucho más aliviado, Bipa preguntó:

—¿Qué sabes del Reino Etéreo, Maga?

Sintió sobre ella la mirada de la chamana, intensa y comprensiva.

—¿Quieres ir tú hasta el Reino Etéreo? ¿Hasta el palacio de la Emperatriz?

Ella negó con la cabeza, sin dejar de mover el cucharón.

—No pretendo llegar tan lejos. Con un poco de suerte, lo alcanzaré mucho antes. Tal vez en el castillo de Gélida —añadió.

Maga alzó una ceja.

—¿Te habló de Gélida?

—No demasiado —Bipa dejó de dar vueltas al caldo—. ¿La conoces? ¿Sabes cómo es?

Maga suspiró.

—Todo aquel que viaje en dirección a la Estrella —dijo, sin contestar a la pregunta— tendrá que atravesar los Montes de Hielo, una tierra fría e inhóspita donde muy pocas criaturas pueden sobrevivir. Gélida reina sobre todo ese territorio, Bipa. No nos hemos visto nunca, aunque sé que tenemos algo en común.

Bipa recordó lo poco que Aer le había contado acerca de Gélida y dijo, sin poder contenerse:

—Lo dudo mucho.

Maga sonrió.

—Sabrás a qué me refiero en cuanto la veas.

Bipa dejó el cucharón y se volvió hacia ella.

—Tú... ¿sospechabas ya que tenía intención de marcharme?

Maga asintió, tomando el relevo de Bipa junto al puchero.

—Desde la primera vez que te vi mirando a lo lejos por si veías aparecer a Aer.

—Eso no puede ser —protestó la joven—. Lo he decidido esta misma mañana. Tengo que hacerlo porque ya estoy harta de que Aer desaparezca sin más, porque Nuba lo está pasando muy mal y él no tiene derecho a comportarse de esa forma. Ya no es un niño y no puede estar siempre haciendo sufrir a su madre con sus caprichos.

—¿Por qué no le dijiste todo esto antes de que se fuera? —la cortó Maga.

—Se lo he dicho varias veces —replicó Bipa—, pero nunca con la seriedad necesaria, por lo visto.

—¿Y crees que ahora sí te escuchará? Si lo alcanzas, ya sea en casa de Gélida, o incluso más allá... ¿qué le dirás?

Bipa sacudió la cabeza. No respondió, pero su silencio fue de lo más elocuente. Maga la miró fijamente.

—Si vas a buscarlo te estarás jugando la vida.

—Lo sé —asintió Bipa.

—Pasarás hambre y frío. Correrás peligros. Puede que no regreses jamás.

Bipa vaciló. Por un momento estuvo a punto de echarse atrás. Pero después dijo:

—Si Aer llegó hasta la casa de Gélida, yo también podré hacerlo. Soy tan fuerte como él.

—Lo sé, Bipa. Pero, si alguien ha de ir a buscarlo, ¿por qué tienes que ser tú?

Bipa se mordió el labio inferior, insegura acerca de la respuesta que debía darle.

—Porque Nuba necesita respuestas. Y he de ser yo quien se las traiga, porque entre todos habéis conseguido que me sienta responsable. Porque si no voy yo, nadie lo hará.

—Tu padre puede emprender ese viaje en tu lugar —sugirió Maga, pero Bipa negó con la cabeza.

—Él debe cuidar de Nuba, ahora que ella ya no tiene a nadie. Y nadie más irá a buscar a Aer. Nadie le dirá a la cara esas verdades que no quiere oír. Yo soy la única que le ha dicho lo que piensa. Siempre ha sido así.

—Y por eso él te aprecia más que a nadie.

Bipa gruñó.

—Lo dudo mucho —alzó la cabeza para mirarla—. Sinceramente, Maga, no quiero ir. Quiero quedarme tranquila y calentita en mi casa, y olvidarme de Aer. Pero sé que no podré volver a la tranquilidad de siempre hasta que no se aclare todo este asunto... hasta que no sepamos si Aer está vivo o está muerto; y, si vive, si tiene o no intención de volver, o si ha conseguido instalarse en otro lugar y sentirse más o menos a gusto. Lo peor no es lo que Aer haga o deje de hacer. Lo peor es no saber. No sólo para mí, sino para todos.

Maga suspiró y movió la cabeza.

—Das demasiadas explicaciones, Bipa. Tú y yo sabemos que no es ésa la razón por la cual quieres ir a buscar a Aer.

—La puedo resumir: Aer es estúpido porque nadie ha metido en su cabeza ni una pizca de sentido común. Yo lo he intentado, pero no puedo hacer milagros y además no es asunto mío. Sin embargo, como soy la única capaz de inculcarle un poco de sensatez, tendré que ir a buscarlo. Y porque si no voy yo, nadie más lo hará.

Maga sonrió.

—Dices lo que piensas, Bipa, pero no lo que sientes.

—Mis motivos no tienen nada que ver con el romanticismo —bufó ella, captando la insinuación—. Lo he dicho muchas veces, no hay nada entre Aer y yo. No me jugaría la vida por él...

—... Pero vas a hacerlo.

—Porque me siento responsable y porque tengo que hacerlo. Me parecen razones de más peso que un enamoramiento. De hecho, probablemente si estuviese enamorada de él no iría a buscarlo. Haría como Nuba: esperarlo eternamente... o tal vez como Taba: soñar con él sin atreverme a acercarme. Si eso es el amor, no hay duda de que yo no estoy enamorada. Porque no tengo inconveniente en ir a buscarlo, decirle que es idiota y traerlo a rastras, no importa lo enfadado o humillado que se sienta. Y eso es lo que haré.

Y se cruzó de brazos, ceñuda, dando por finalizada la conversación.

—¿Esto es lo que le vas a decir a tu padre?

Bipa vaciló.

—No va a retenerte —la tranquilizó Maga—. Pero temerá por ti.

—Oh, yo tengo intención de volver —le aseguró la joven, dirigiéndose ya hacia la puerta—. No sé qué pretende Aer, pero yo no quiero estar ahí fuera un instante más de lo necesario. Lo buscaré, lo encontraré y regresaré, con o sin él. Si es con él, mejor que mejor; y, si no, espero poder traerle al menos noticias a Nuba, a Taba, y a todas las personas que lo están esperando.

Maga asintió, sonriendo.

—Pasa a verme antes de marcharte, si no cambias de idea. Tengo algo para ti.

—Gracias —dijo Bipa, pero no preguntó qué era. Se iba a enterar de todos modos cuando llegara el momento.

Cuando comunicó a su padre su decisión de marcharse, él la miró, con aquellos ojos profundos y tristes, y no dijo nada. Bipa repitió, una por una, las razones que le había dado a Maga, que, en honor a la verdad, cada vez le parecían menos convincentes. Y cuando creía ya que Topo no la dejaría marchar, él se levantó, la envolvió en un abrazo de oso y murmuró con voz ronca:

—Ten cuidado, hija.

Bipa nunca lloraba; pero, por alguna razón, aquellas palabras anudaron su garganta y anegaron sus ojos. Parpadeó para retener las lágrimas.

—Descuida, padre. Si el inútil de Aer fue capaz de sobrevivir ahí fuera, cualquiera podrá hacerlo.

Topo sonrió.

—No te confíes, Bipa. Y por encima de todo, mantén siempre caliente tu corazón. No lo olvides.

Bipa no entendió aquel consejo, pero le prometió que no lo olvidaría.

Hizo un macuto con las cosas que pensaba que le serían de utilidad. Escogió sus prendas más abrigadas y la comida más nutritiva y duradera. Guardó también yesca y pedernal para encender el fuego si encontraba la ocasión, y algunos botes con medicinas preparadas por Maga para casos de necesidad. Todo útil; nada superfluo. Lo único que incluyó en su equipaje que contradecía su espíritu práctico fue el colgante de cuarzo que Aer le había regalado tiempo atrás.

Lo sacó de su caja y se lo puso al cuello por vez primera. Se lo metió bajo la ropa, rozando su piel. No sabía por qué; tal vez para recordar el objetivo de su viaje —«¡Como si fuera a olvidarlo!», resopló para sus adentros—, tal vez como talismán, o quizá en la esperanza de que, de alguna manera, la Diosa la guiase hasta su amigo a través de él. Pero eso también era una tontería. La Diosa gobernaba sobre las cosas vivas, sobre todas las cosas vivas. Pero el cuarzo estaba muerto..., o al menos, no-vivo, puesto que para estar muerto hay que haber vivido alguna vez. Tampoco la flor de cristal estaba viva. Ni muerta.

Bipa se estremeció. No obstante, conservó puesto el colgante.

Antes de partir fueron a verla, sucesivamente, Nuba y Taba. La primera la abrazó con fuerza, le dio las gracias y le suplicó que no corriera riesgos y que volviera atrás si tenía problemas, aunque no hubiese encontrado a Aer. La segunda le deseó buena suerte, dudó un momento y, después, le dijo en voz baja, con profunda admiración:

—Eres muy valiente.

—Tonterías —bufó ella.

No se consideraba especialmente valiente, ésa era la verdad. Tenía miedo.

Al día siguiente, antes del amanecer, se despidió de Topo, prometiéndole que volvería pronto. Tras un último abrazo, salió por la puerta interior, cargada con su morral, y fue a ver a Maga, como había prometido.

Todavía era de noche cuando llamó suavemente a su puerta. Sabía que Maga la recibiría, a pesar de lo temprano de la hora, porque Maga siempre recibía a todo el mundo, en cualquier momento. Cuando le abrió la puerta llevaba un chal sobre la ropa de dormir y aún estaba despeinada, pero la saludó con una amplia sonrisa.

—Pasa, Bipa. Gracias por venir.

—No me puedo quedar mucho tiempo —dijo ella, entrando en la casa—. Quiero marcharme antes de que se levante todo el mundo, porque si no, las despedidas se eternizarán.

—No te entretendré demasiado. Ven, acércate.

Bipa obedeció. Ante su sorpresa, vio que Maga se quitaba el Ópalo que pendía sobre su pecho y se lo ponía a ella al cuello. Trató de resistirse.

—Pero, Maga, ¿qué haces? ¡El Ópalo es tuyo! Lo necesitas para curar a la gente.

—Tú lo necesitarás mucho más que yo. En realidad son las medicinas, los caldos y el propio cuerpo del enfermo lo que hace que éste sane. El poder del Ópalo sólo acelera las cosas...

—... Y calma el dolor y alivia la fiebre. No, Maga. No puedo aceptarlo.

—Hazlo —dijo Maga, y sus ojos oscuros relucieron un instante, casi, casi, con el mismo brillo del Ópalo—. Hazlo, porque sin el poder de la Diosa morirás de frío, y porque si encuentras a Aer, necesitarás toda la ayuda posible para hacerlo volver.

—Pero... pero... —balbuceó Bipa—. No estoy segura de que deba obligarlo a volver... si de verdad existe la Emperatriz, y él...

—Si llega tan lejos —cortó Maga—, puede que la decisión de regresar o no ya no dependa de él.

—¿Qué quieres decir? — preguntó Bipa, intrigada; pero la chamana no dio más detalles.

—Guarda bien el Ópalo —dijo—. Cuídalo, y él te cuidará a ti. Es un regalo de la Diosa; mientras lo lleves contigo, el calor y la vida no te abandonarán.

»Úsalo correctamente, Bipa. Porque el poder del Ópalo es grande. Pero es su portador el que decide cómo, por qué y para qué emplearlo.

—No lo voy a usar —murmuró Bipa, ocultándolo bajo la ropa, de modo que le rozase la piel—. Porque es tuyo y eres tú quien tiene que llevarlo. Pero lo aceptaré, porque tú así lo quieres. Volveré cuanto antes para devolvértelo —añadió con una sonrisa—. No olvidaré que es un préstamo y que también lo necesitas aquí.

Las dos se despidieron con un fuerte abrazo.

—Que la Diosa esté contigo, Bipa; ojalá encuentres a Aer, y ojalá la Diosa lo acompañe a él todavía.

La muchacha la miró, suspicaz.

—¿Qué me estás ocultando, Maga?

Pero ella movió la cabeza, abatida, y no dijo nada más.

Bipa abandonó las Cuevas cuando la fría claridad del día empezaba a pintar el horizonte. Aunque la niebla impedía ver el cielo, como de costumbre, la joven recordaba en qué dirección había visto la Estrella la noche en que la había contemplado junto a Aer. De modo que se abrigó lo mejor que pudo, se ajustó la bufanda y los guantes, se aseguró de que llevaba bien puesto su morral y echó a andar.

Era demasiado temprano y no acudió nadie a despedirla, pues les había dicho que partiría más tarde. Y en realidad había tenido intención de hacerlo así. Pero había cambiado de idea al despertarse, sobresaltada, en mitad de la noche. No podía esperar, comprendió. Ni tenía ganas de despedirse de todo el mundo.

Ahora estaba convencida de que había sido una buena idea. Porque no habría sabido explicar el hecho de que el Ópalo de Maga fuera a abandonar las Cuevas. Bipa estaba segura de que habría muchos que no entenderían ni aceptarían la decisión de la chamana, y no los culpaba: también a ella le resultaba incomprensible. Pero era la voluntad de Maga, y Maga siempre hacía las cosas por algo. Y debía de haber una razón de peso para que ahora su preciado Ópalo reposase sobre el pecho de la joven, rozando el otro colgante que llevaba, el cuarzo que le había regalado Aer.

Bipa sólo se volvió atrás en dos ocasiones. Una, cuando no llevaba ni diez pasos de camino, para despedirse por última vez de Topo, que seguía en la puerta. Ambos agitaron la mano, pero no dijeron nada más. Sus figuras eran apenas sombras recortadas en la espesa niebla.

La segunda vez fue justo antes de que las Cuevas fuesen engullidas por la neblina matinal. Bipa se detuvo un instante para contemplar la silueta de las colinas en las que habitaba su gente, las altas chimeneas que arañaban el cielo. Cerró los ojos y deseó poder regresar a casa y no tener que marcharse.

«Pero si no lo hago yo, nadie más lo hará», se recordó a sí misma con energía. Y, respirando hondo, dio media vuelta para marcharse. Ante ella se alzaban, semiocultas por la nieve, las antiquísimas estatuas de piedra que habían esculpido sus antepasados en tiempos remotos, y que señalaban el límite entre la seguridad y lo desconocido, entre la vida y la muerte. Bipa creyó intuir una muda advertencia en sus rostros inexpresivos y desgastados por el tiempo; aun así, siguió caminando sobre la nieve, sin mirar atrás.

V

Un compañero de viaje

El primer día, el tiempo acompañó. La niebla, pegajosa y espesa, no llegó a disiparse, pero al menos, no nevó ni estalló ninguna tormenta.
Bipa avanzó siempre en línea recta, o en todo caso lo intentó. Sabía que, si se detenía un instante o se desviaba, perdería el rumbo. Sólo el instinto y una férrea voluntad de seguir el mismo camino podían asegurarle que avanzaba en dirección a la Estrella. «Pero está tan lejos —pensó en algún momento, desanimada— que de todas formas no importará que me desvíe un poco. Seguiré estando lejos igualmente.»

Sin embargo, continuó caminando hasta que el hambre y el cansancio la vencieron. Entonces se detuvo al abrigo de una protuberancia rocosa y allí montó un improvisado campamento. Intentó encender un fuego, pero había tanta humedad en el ambiente que las ramas no prendieron. Bipa se resignó, se envolvió bien en sus ropas y aferró el Ópalo con ambas manos, para que su reconfortante calidez aliviara el frío y la rigidez que se estaba apoderando de sus dedos. Guardó las ramas, sin embargo. En su mundo, los árboles y matorrales eran escasos y crecían débiles y mustios. Su gente solía utilizar más el carbón que la madera para hacer arder sus hogueras, porque ésta era un lujo difícil de obtener. En aquel momento, Bipa se dio cuenta de que lejos de las Cuevas había todavía menos vegetación. No lo consideró un buen presagio, pero procuró no pensar en ello. Durmió al abrigo de la roca el resto del día. Y cuando oscureció, se levantó y buscó con la mirada el suave resplandor de la Estrella. Detectó que la niebla era más clara en una determinada dirección, y se encaminó hacia allí. Indudablemente, hacía más frío de noche que de día; pero de noche corría menos riesgo de perderse, por lo que aún caminó un buen rato más antes de detenerse. Y cuando lo hizo no fue por cansancio, sino porque el cielo se había nublado, ocultándole el resplandor que la guiaba.

Bipa encontró cobijo al pie de una colina. No era un gran refugio, pero no tenía otra cosa. Durmió hasta bien entrada la mañana.

El segundo día despertó entumecida de frío, y tuvo que dar varios saltos para volver a sentir los pies. La humedad había calado en sus huesos, le dolía todo el cuerpo y sentía la nariz congelada. En aquel momento se sintió tentada de regresar. Pero tomó el Ópalo entre las manos y éste le infundió calor y confianza.

Anduvo toda la mañana bajo un cielo plomizo y pesado, y a mediodía comenzó a nevar con suavidad. Con todo, el tiempo seguía siendo bueno, aunque Bipa temía que las nubes le impidieran continuar en la dirección correcta.

El tercer día se desató una violenta tormenta de nieve. Bipa la había visto venir durante toda la mañana. El cielo estaba cada vez más oscuro y un viento desagradable se le metía en los oídos, le cortaba los labios y le congelaba la nariz. La muchacha no soltó el Ópalo en ningún momento, y aun así sentía las manos heladas por debajo de las manoplas. Buscó desesperadamente un refugio, pero la tormenta se abatió sobre ella antes de que lo encontrara. Tambaleándose, avanzó como pudo, luchando contra los elementos, ciega, sorda, sintiendo que el frío devoraba cada fibra de su ser. Tropezó en más de una ocasión, y estuvo a punto de no levantarse, pero era demasiado obstinada como para dejarse vencer. De modo que siguió arrastrándose sobre la nieve, a tientas, como una autómata. Y cuando creyó que las fuerzas la habían abandonado, encontró un hueco bajo un saliente. Jadeando, se acurrucó en su interior, tratando de conservar el escaso calor que le restaba. En aquellas circunstancias, ni siquiera la energía que irradiaba el Ópalo servía para confortarla. Lo habría dado todo por un buen fuego y una sopa caliente. Entornando los ojos, recordó las fuentes termales que manaban de la roca, adonde los habitantes de las Cuevas iban todos los días a asearse, ellos por la mañana temprano, y ellas al caer la noche. Evocó la deliciosa sensación del agua caliente envolviendo su cuerpo desnudo y se perdió en ensoñaciones llenas de vapor de agua y llamas que crepitaban alentadoramente.

Y, después, perdió el conocimiento.

Fue el silbido del viento lo que la despertó, lo cual fue una suerte, porque de lo contrario habría sucumbido allí mismo, congelada. El Ópalo seguía siendo un corazón cálido entre sus manos y contribuyó a despejarla. Sacudió la cabeza, horrorizada, y, con gran esfuerzo, consiguió sacar de la mochila todas las prendas que traía. Se las echó por encima, una detrás de otra, tiritando, mientras hacía enérgicos movimientos con los brazos para tratar de entrar en calor. Encontró una cavidad en la roca y trató de encender una hoguera allí, pero el viento no se lo permitió.

Bipa permaneció acurrucada en el agujero al menos dos días más, hasta que la tempestad amainó. El viento dejó de soplar, las nubes se levantaron un poco y la nieve volvió a caer lenta y blandamente.

Entonces, Bipa pudo encender una pequeña hoguera. Lloró de alegría al ver la tímida llamita que brotó de entre las ramas. Era tan pequeña que apenas calentaba, pero la consoló tanto que no se dio cuenta de que sus lágrimas habían quedado escarchadas sobre sus mejillas.

Al séptimo día, por la noche, la claridad de la Estrella volvió a adivinarse en el horizonte neblinoso, y Bipa reemprendió la marcha.

Cojeaba. Tenía la sensación de que uno de sus pies se había dormido, o se había convertido en un bloque de hielo. Por fortuna, la caminata reavivó la circulación de su sangre y ella no tardó en recuperar la sensibilidad en el pie.

El octavo día tuvo que empezar a racionar la comida. Seguía sin tener señales de Aer ni de Gélida, y mucho menos de la Emperatriz. Desalentada, empezó a pensar en rendirse y regresar. Pero temía estar ahora más lejos de su casa que de su destino. Con aquella niebla no podía saberlo. Tal vez Aer estuviese más cerca de lo que pensaba. También él se habría visto frenado por las tormentas. Quizá había hallado un refugio cerca de allí. En cualquier caso, el hogar de Gélida no podía estar muy lejos. Aer había ido y había vuelto, y probablemente no iría mejor preparado que Bipa. Eso le daba ánimos.

El undécimo día avistó entre la niebla los picos de una cordillera que le cerraba el paso. Al principio esto la desalentó, pero luego recordó las leyendas que hablaban del palacio de la Emperatriz, «más allá de los Montes de Hielo y la Ciudad de Cristal».

Los Montes de Hielo...

¿Sería aquello la primera frontera? No parecían unas montañas especiales, salvo por el hecho de que eran altísimas, mucho más altas que cualquiera que Bipa hubiera visto jamás. Pero, claro, el manto de niebla era demasiado espeso, y ella se encontraba demasiado lejos como para estar segura.

Pronto se dio cuenta de que se hallaban mucho más distantes de lo que parecía.

El duodécimo día, al caer la noche, las montañas eran todavía una sombra lejana, y los cielos desataron sobre ella una tormenta de nieve aún más violenta que la anterior. Aterida, desorientada y sin aliento, buscó un rincón donde esconderse, pero no lo encontró. Su única posibilidad era llegar hasta la cordillera. Apretó los dientes, aferró bien el Ópalo entre las manos y siguió avanzando, poco a poco, paso a paso, a veces frenada por el viento y a veces arrastrada por él. Llegó un momento en que se movía sin ser ya consciente de lo que hacía. Su mente vagaba muy lejos de allí, pero una parte de su ser todavía colocaba un pie delante de otro y se acordaba de respirar. Sin saber cómo ni por qué, se levantaba cada vez que se caía y continuaba avanzando, con una obstinación inquebrantable. Se sentía como una muñeca sin voluntad propia, arrastrada por una fuerza invisible que la empujaba a seguir adelante. Tal vez fuera el instinto de supervivencia, o tal vez la voz de la Diosa que la guiaba; Bipa nunca lo supo.

El caso es que, al atardecer del... ¿decimotercer...?, ¿decimocuarto... día?, sus piernas la dirigieron con cierta torpeza hasta el pie de la cordillera y la mente de Bipa volvió a la realidad cuando sus ojos le mostraron la imagen de algo largamente anhelado: una cueva, un refugio. Un techo. Abrigo. Silencio. Calor.

Bipa sollozó de alegría, pero sus lágrimas se congelaron en su interior aun antes de salir de sus ojos. Se arrastró como pudo al interior de la cueva, buscó un rincón resguardado, se acurrucó en el suelo y, muerta de frío y de agotamiento, se quedó profundamente dormida.

Nunca llegó a saber si despertó el día decimoquinto o decimosexto. En aquel instante renunció a seguir manteniendo la cuenta.

Amaneció sumamente hambrienta y aterida de frío. Con los dedos rígidos todavía y tiritando violentamente, devoró toda la comida que le quedaba. Sabía que se estaba quedando sin alimento, pero en aquel momento no le importó. Tenía una cueva donde guarecerse. Ya podía nevar ahí fuera todo lo que quisiera, ella estaba a cubierto. La simple idea de poder descansar allí la llenaba de alegría y optimismo.

Pasó el resto del día intentando encender un fuego. Por fin, su paciencia se vio recompensada y logró prender una hoguera de mediano tamaño. Entusiasmada, recogió musgo de las paredes y lo echó al fuego para que ardiera mejor todavía, pero sólo consiguió llenar la cueva de un humo oscuro y maloliente. Tosiendo, rebuscó en su mochila en busca de más ramas que se hubiesen quedado en el fondo. Y topó con unos bultos en uno de los bolsillos. Extrajo, sorprendida, dos piezas de carbón de buen tamaño.

—Oh —exclamó. Se asustó de oír el sonido de su propia voz. Llevaba dos semanas sin hablar con nadie.

No recordaba haber guardado carbón en su mochila. Debía de haber sido cosa de Topo. Sonrió, conmovida. Pronto, la hoguera ardía con fuerza, caldeando su refugio. Bipa sacó una pequeña cazuela de barro y puso nieve a calentar. Cuando el agua estuvo tibia, la bebió. No tenía nada con lo que hacer sopa, pero no le importó. El líquido caliente la reconfortó y la vivificó por dentro. Y le hizo entrar en calor por primera vez en muchos días.

Para cuando la tormenta amainó, un día después, Bipa estaba muerta de hambre otra vez y la hoguera ya se había apagado, si bien había caldeado la cueva y la había hecho algo menos húmeda de lo que era.

Bipa retiró la nieve de la entrada y salió a explorar. Por muchas ganas que tuviese de encontrar a Aer, no se sentía con ánimos de abandonar tan pronto su refugio. Le entraba una extraña ansiedad sólo con planteárselo. Necesitaba recuperar fuerzas y reunir víveres, si esto era posible, antes de continuar el viaje... o regresar a casa.

Todavía no había decidido lo que iba a hacer. La tentación de volver era cada vez más fuerte. Por otro lado, la idea de haber sufrido tanto todos aquellos días para nada la retenía y le hacía pensar que regresar sin noticias de Aer era la última opción.

Aquella mañana, sin embargo, Bipa no quiso pensar en ello. Recorrió los alrededores de la cueva, los recovecos entre las rocas a la sombra de las montañas, y halló varios arbustos resecos de los que pudo arrancar un buen montón de ramas para su fuego. Pero no encontró nada que comer.

Por la tarde volvió a salir, y en esta ocasión sus ojos captaron por primera vez la vida que se ocultaba en aquel paraje desolado: criaturas de distintas clases, pequeñas o de tamaño mediano, pululaban por entre las rocas. La mayoría eran de pelaje blanco y se confundían con la nieve, por eso no las había visto antes. Acuciada por el hambre, Bipa cargó su honda y, tras varios intentos frustrados, logró cazar una especie de roedor, que más tarde cocinó a la brasa en su pequeño fuego. No hizo ascos a aquella comida, incluso guardó los huesos para hacer caldo más adelante. La Diosa no se prodigaba mucho a la hora de facilitar el sustento, y menos en aquel lugar. Dadas las circunstancias, Bipa no se podía permitir el lujo de ser exigente.

Al día siguiente, su exploración la llevó cerca de una extraña escultura de nieve. Bipa se detuvo en seco al verla, sorprendida. Aquello le sacaba varias cabezas, y era demasiado compacto y de forma humanoide lo bastante definida como para no ser simplemente un cúmulo de nieve caído así por azar. Se alzaba al abrigo de una roca, muy erguido, con los brazos pegados al cuerpo, la línea de la boca tiesa y los dos agujeros que tenía por ojos mirando al frente. Alguien tenía que haberlo modelado, y recientemente. Aunque tenía montoncitos de nieve caída sobre la cabeza y los hombros, en aquel lugar una escultura así no podría permanecer tan compacta durante mucho tiempo. Bipa se volvió hacia todos lados, pero no vio a nadie más. Inspiró hondo y gritó:

—¿¡Aer!?

Sólo el eco (*Aer... Aer... Aer...*) le devolvió su voz.

—¿Hay alguien ahí? —insistió ella (*Ahí... ahí... ahí...*).

Luego, silencio.

Bipa respiró hondo. Se encogió de hombros y retrocedió un par de pasos para ver la escultura de nieve en conjunto. No tenía el aspecto simpático de los monigotes que levantaban los niños en las Cuevas cuando nevaba. Tenía forma humanoide, sin duda, como si hubiese sido modelada con cierta torpeza por las manos de un bebé gigante. La cabeza parecía demasiado grande, los brazos demasiado cortos... y aquella expresión... ¿Cómo podía algo moldeado a partir de un montón de nieve, con una cara dibujada de forma esquemática y apresurada, transmitir semejante sensación de tristeza?

Bipa sintió un escalofrío, y por una vez no se debía a la temperatura del ambiente. Desvió la mirada y se dispuso a continuar su camino. Sin embargo, no pudo resistir la tentación. Se aproximó de nuevo y alargó la mano para tocarla, sólo para comprobar si era tan sólida como parecía o, por el contrario, se desmoronaría al primer roce. Apenas sus dedos tocaron la mano de la estatua de nieve, percibió un súbito destello en el Ópalo que pendía sobre su pecho y una especie de oleada de calor que se desparramó por todo su cuerpo, hacia su mano, fuera de su piel, a través de la manopla, hasta los dedos de la enorme escultura. Perpleja y asustada, Bipa retiró la mano. Pero el Ópalo volvía a estar como siempre, y la sensación de calor había desaparecido. Había sido tan breve que Bipa empezó a pensar que lo había imaginado.

Entonces cayó sobre ella un pequeño montón de nieve, sobresaltándola. Miró hacia arriba y se le escapó un grito de terror.

La estatua había movido la cabeza, y parte de la nieve que la cubría le había caído encima. Con estupor, Bipa la vio sacudir otra vez su enorme cabeza para terminar de librarse de la nieve sobrante; y cuando aquella cosa se inclinó hacia ella y la miró, con aquellos ojos huecos, Bipa chilló de nuevo y trató de huir. Tropezó con un montículo de nieve y cayó de espaldas, quedando sentada sobre el suelo, incapaz de moverse, mientras veía, aterrada, cómo aquella escultura cobraba vida ante sus ojos. Después de mover la cabeza, sacudió los hombros y alzó los brazos. Los miró, como sorprendiéndose de que siguieran ahí. Luego dio un paso hacia Bipa, pero al notar que ella retrocedía, asustada, se quedó donde estaba, con la enorme cabeza de nieve ladeada sobre un hombro, contemplándola con expectación y cierta melancolía.

Bipa jadeaba de puro terror. La estaba mirando... ¡la estaba mirando! ¿Pero cómo podía verla esa cosa cuyos «ojos» no eran más que dos agujeros perforados en la bola de nieve que tenía por cabeza? ¿Qué era exactamente? ¿Estaba viva? Si no lo estaba, ¿por qué se movía? Y, si lo estaba, ¿tendría acaso corazón?

Bipa sacudió la cabeza, confundida, y el gigante de nieve la imitó, con tanto entusiasmo que Bipa temió que su cabeza saliera volando por los aires. Pero permaneció en su sitio, demostrándole que aquella criatura era sorprendentemente sólida para estar hecha de nieve, como parecía. La joven frunció el ceño y trató de pensar con frialdad. Tampoco era tan importante saber qué era exactamente ni cómo había llegado hasta ahí. Lo principal era averiguar si era peligroso y, en el caso de que no lo fuera, si podía serle de utilidad.

—Esto... hola —le dijo con precaución.

El gigante de nieve no respondió. Sólo continuó con la vista fija en ella.

—¿Qué eres? —siguió preguntando Bipa; luego pensó que tal vez eso no fuera muy cortés y se corrigió—. ¿Quién eres? ¿Tienes nombre?

La criatura permaneció callada.

—Yo soy Bipa —prosiguió ella, empezando a sentirse estúpida.

El otro no se movió. Estaba claro que, o bien no la entendía, o simplemente no sabía hablar. Pero, ¿era necesario que la observara de aquella manera, con tanta fijeza?

—Deja ya de mirarme —protestó Bipa, incómoda.

Le arrojó una bola de nieve desde allí, donde se encontraba, sentada en el suelo, y se arrepintió enseguida de haberlo hecho. Contempló con cierto terror cómo la nieve se estrellaba contra el hombro de aquel extraño coloso animado. Pero él no se enfureció. Volvió la cabeza hacia su hombro, hacia el lugar donde había impactado el proyectil lanzado por Bipa, sin inmutarse, y luego se giró hacia ella otra vez para contemplarla con aquella mezcla de expectación, tristeza y curiosidad. Bipa suspiró con cierta exasperación. Se levantó como pudo, se sacudió la nieve de los pantalones y le dijo a aquella cosa, fuera lo que fuese:

—Bueno, me alegro de conocerte, pero tengo otras cosas que hacer. Hasta otra.

Le dio la espalda y prosiguió su camino. Pero, enseguida, con el corazón latiéndole con fuerza, detectó un sordo rumor tras ella, que se detuvo cuando ella lo hizo. Se volvió lentamente para comprobar que sus temores no eran infundados: el coloso de nieve la seguía.

La muchacha respiró hondo, nerviosa, y se puso en marcha de nuevo, mucho más deprisa. Le bastó una breve mirada por encima de su hombro para comprobar que aquella extraña criatura aún iba tras ella. Bipa echó a correr. El ser de nieve era grande, pero lento, y pronto, con gran alivio por su parte, lo dejó atrás. Se refugió en su cueva, temblando. Cuando consiguió reunir el valor suficiente, se asomó con precaución.

Vio aparecer su enorme mole por detrás de un montículo de nieve. Asustada, se acurrucó tras una roca y trató de pasar inadvertida. El gigante de nieve se detuvo junto a la boca de la cueva, demostrando a las claras que la había visto —si es que podía realmente «ver» algo—, pero no hizo ademán de entrar. Simplemente se quedó allí plantado, como un centinela, silencioso y quieto.

Bipa tardó un rato en atreverse a salir de su escondite. Se desplazó por la cueva, con precaución, y la cabeza del gigante siguió su movimiento, pero eso fue todo.

Lentamente, la muchacha empezó a tranquilizarse. Pronto descubrió que la criatura, a pesar de su tenacidad a la hora de seguirla, no tenía intenciones violentas. Por algún motivo que se le escapaba, respetaba su espacio, y en ningún momento trató de entrar en la cueva, pero tampoco se apartó de la entrada, salvo cuando Bipa encendió un fuego al caer la noche. Entonces se alejó prudentemente de la boca de la cueva, de aquel foco de calor que podía ser fatal para él, pero no llegó a marcharse.

A la mañana siguiente, cuando Bipa se asomó, aún seguía allí. Con precaución, la joven salió al exterior. Aún no sabía si era seguro hacerlo, pero se moría de hambre, y tenía que encontrar algo que comer para acallar el ruido de su estómago. Avanzó en un silencio precavido, sin perder de vista al ser de nieve, pero éste detectó enseguida su presencia y movió la cabeza hacia ella. Bipa desvió la mirada y fingió que no lo había visto. Siguió caminando, como si no le prestara atención, pero a la criatura no pareció importarle. La siguió, a una cierta distancia, pero con la infatigable lealtad de un perrito. Bipa respiró hondo, cerró los ojos y se detuvo.

—Bueno —mascullό—, supongo que todo el mundo es libre de ir a donde le parezca y no puedo impedir que me sigas, ¿no?

Y al decir esto lo miró con resignación. Pero el coloso de nieve se limitó a ladear la cabeza, indiferente.

Bipa no tardó en acostumbrarse a su compañía. La criatura no hacía apenas ruido, no molestaba, no se interponía en su camino. Su única necesidad parecía consistir en seguirla a todas partes, salvo al interior de su cueva. Y pronto, en lugar de sentirse inquieta por su presencia, Bipa empezó a hallarla reconfortante. Por alguna razón, se creía más segura sabiendo que aquel extraño ser velaba por ella a la entrada de su caverna. Aunque nada aseguraba que fuera a defenderla si la atacaban —y, en cualquier caso, un montón de nieve con forma remotamente humana no parecía un gran oponente—, lo cierto era que le infundía una curiosa sensación de protección.

Quizá por eso, cuando se vio con fuerzas, Bipa decidió que proseguiría su camino hacia la casa de Gélida, en lugar de regresar a su propio hogar.

Y así, una mañana neblinosa, guardó en su mochila las escasas provisiones que había podido reunir y se puso de nuevo en marcha.

Hacía tiempo que había descubierto un paso entre las montañas, pero no se había aventurado por él. Aun así, sospechaba que la llevaría al otro lado, por lo que lo enfiló con decisión.

El gigante de nieve la seguía en silencio. Por lo visto, el hecho de que ella se alejara de la cueva, y del lugar donde lo había encontrado, no lo inquietaba. No vaciló en acompañarla a través de las montañas, ni tampoco mostró duda ni preocupación cuando, por fin, el paisaje rocoso se abrió, revelando una amplia extensión nevada. Bipa dejó atrás la cadena montañosa, y la criatura la siguió sin mirar atrás una sola vez.

«Debe de sentirse solo», reflexionó Bipa. Aunque... ¿podría un montón de nieve experimentar la soledad? ¿Podría sentir «algo»?

En cualquier caso, el motivo por el cual aquel coloso de nieve iba tras los pasos de Bipa era todavía un misterio para ella.

A lo largo de los días siguientes, la muchacha trató de darle conversación, de comunicarse con él de modos diversos, pero todo fue inútil. La criatura se limitaba a mirarla con semblante inexpresivo.

Gozaron de buen tiempo durante aquel periodo. Por descontado, la niebla no se levantaba nunca y las nubes seguían cubriendo el cielo por completo, pero no se desató ninguna tormenta. Bipa aprovechaba los días al máximo, levantándose temprano y avanzando hasta que no podía más. Quería adelantar todo lo que pudiese ahora que el tiempo era favorable. Se había detenido demasiado en su refugio de las montañas, y seguro que Aer le llevaba mucha ventaja.

Con todo, no estaba segura de ir en la dirección correcta. Aquella planicie nevada seguía y seguía, y ella continuaba adelante, simplemente. Pero podía haber perdido el rumbo. Podía estar caminando en círculos. Podía...

Eran tantas las cosas que podían estar saliendo mal que Bipa procuraba no pensar en ellas. Estaba convencida de que, si empezaba a enumerar las dificultades con las que podría toparse, el miedo y la duda la paralizarían y no la dejarían continuar. Y en aquellas circunstancias lo mejor era avanzar, moverse, no importaba en qué dirección. De modo que seguía caminando, testaruda, y el gigante de nieve la seguía. Por lo menos, se decía ella a menudo, no le discutía sobre sus intenciones ni sobre el rumbo a seguir. No estaba muy segura de saber qué contestar si alguien le preguntara al respecto.

Pero la fortuna siguió sonriéndoles, porque justo cuando ya se acababan las provisiones y Bipa se planteaba volver a hacer otro alto de varios días para cazar, pescar y descansar, unos picachos de hielo emergieron en el horizonte.

Bipa se detuvo —y el coloso de nieve con ella—, con el corazón latiéndole de angustia. Pero después de observar mejor aquellas formas que se adivinaban entre la niebla, respiró, aliviada: no eran de nuevo las montañas. Las puntas tenían un aspecto demasiado regular, parecían talladas por manos humanas. A juzgar por el tamaño que se les adivinaba a aquella distancia, podían ser torres... enormes torres que coronaban un amplio edificio que, en efecto, parecía de hielo, aunque Bipa estaba demasiado lejos como para asegurarlo.

«¿El palacio de la Emperatriz? ¿Tan cerca?», se preguntó, aunque tenía la sensación de que había viajado increíblemente lejos.

Recordó entonces que también existía otra posibilidad.

—Gélida —murmuró en voz alta. Respiró hondo. Gélida conocía a Aer. Podía preguntarle por él. Con un poco de suerte, tal vez el chico se encontrase en su casa todavía. Pero se acordó de la flor de cristal que él le había robado. Se preguntó si a ella le había molestado mucho y, en tal caso, si seguiría enfadada por ello. Dudó, pero la posibilidad de tener noticias de Aer, por fin, o simplemente de poder hablar con otro ser humano, después de tanto tiempo, terminaron de decidirla.

Con paso firme, echó a andar hacia las altas torres que peinaban el horizonte. Alcanzaron el enorme edificio cuando ya comenzaba a oscurecer. Cansada, hambrienta y sin aliento, Bipa se detuvo un instante ante el arco de entrada y trató de distinguir a simple vista lo que había más allá. Pero el camino se difuminaba en la niebla, y no había suficiente luz para ver la puerta desde allí. Alzó la cabeza, para contemplar el gigantesco arco de hielo que se erigía sobre ellos. Una hilera de arcos similares, pero más pequeños, recorrían el camino que llevaba hasta el palacio de Gélida. No sujetaban nada, sin embargo, y Bipa pensó que, aunque el efecto era bastante impresionante, aquellos arcos no tenían ninguna utilidad, pues eran altos y estrechos, y no valían tampoco como refugio. La joven evocó su hogar, las casas de su gente, cómodas, acogedoras y prácticas, y se preguntó qué clase de persona se molestaría en cubrir el camino que llevaba a su casa con arcos inútiles y ostentosos. La misma clase de persona que coleccionaba flores de cristal, supuso.

El recuerdo de la flor de cristal le llevó a pensar en Aer una vez más. Inspiró hondo y desterró las dudas de su mente. Tenía que entrar y preguntar por Aer. Y, de paso, solicitar cobijo y algo caliente para cenar.

Se adentró por el camino, bajo los arcos de hielo. Pero sólo había avanzado una docena de pasos cuando se dio cuenta de que le faltaba algo, y se volvió. La criatura de nieve no se movía. Se había quedado parada bajo el arco principal y la miraba, pero no hacía ademán de seguirla.

—¿Qué te pasa? ¿No vienes?

Su acompañante movió un poco la cabeza, pero se quedó donde estaba.

—Está bien —dijo Bipa—. Espérame aquí, si lo prefieres. Volveré por la mañana.

El gigante de nieve no dio muestras de haber comprendido, pero permaneció donde estaba, y Bipa sospechó que allí lo encontraría al día siguiente, en el mismo lugar.

Siguió, por tanto, sola, por el camino bajo la arcada, hasta que topó con una puerta gigantesca, flanqueada por dos estatuas. La puerta estaba cerrada; un enorme aldabón colgaba sobre ella, pero parecía tan pesado que Bipa no se molestó en tratar de moverlo. Por el contrario, golpeó la puerta con los nudillos, con todas sus fuerzas.

Nada sucedió, al principio. Pero luego se oyó un siniestro crujido y algo se movió justo junto a Bipa. La chica retrocedió de un salto, asustada, y alzó la cabeza. Reprimió una exclamación de sorpresa al darse cuenta de que aquellas figuras que había tomado por estatuas no eran tales. Eran colosos similares a la criatura de nieve que la había acompañado. Y la estaban mirando.

Estaba demasiado oscuro como para que Bipa pudiese apreciar los detalles, por lo que no podía saber si sus rostros eran tan inexpresivos como los de su compañero de nieve. Tampoco podía estar segura de que fuesen a entenderla, pero de todas formas se aclaró la garganta y dijo, lentamente y con claridad:

—Me llamo Bipa y vengo de las Cuevas. Quiero ver a Gélida. Me gustaría hacerle una consulta.

Los gigantes no se movieron, al menos al principio. Cuando Bipa ya pensaba que no la habían entendido, uno de ellos se volvió hacia la puerta y, con una facilidad envidiable, descargó un solo golpe sobre ella con el gran aldabón.

El sonido resonó por el interior del palacio. El coloso esperó.

Y entonces, lentamente, las puertas se abrieron, dejando caer una fina lluvia de nieve y escarcha. El guardia entró y se volvió hacia Bipa, como indicándole que le siguiera.

Ella lo hizo.

VI

Gélida

La puerta se cerró tras ellos, dejando fuera al otro gigante y a la criatura de nieve que aguardaba a Bipa junto a la entrada.

«Estará bien», se obligó a pensar ella.

Avanzaron por un corredor tenuemente iluminado. Bipa miró a su alrededor, sobrecogida. Había supuesto que el interior del edificio sería cálido y agradable, como todos los hogares que ella conocía, pero lo cierto era que allí dentro hacía tanto frío como fuera. Y ahora veía por qué.

Las paredes, los suelos, los techos... todo estaba tallado en hielo puro. Por esta razón resultaba muy difícil caminar, y le costaba seguir el ritmo de su acompañante. Bajo la suave luminiscencia que se derramaba desde las paredes Bipa comprobó, con asombro, que el guardia no era exactamente como la criatura de nieve que la había seguido desde las montañas. Su forma y proporciones eran similares, sí. Pero su cuerpo, al igual que todo en aquel lugar, estaba hecho de hielo, como si hubiera sido moldeado a partir de un témpano gigantesco. En cualquier caso, aunque era igual de inexpresivo, parecía tallado con más cuidado que la criatura de nieve de Bipa: estaba mejor proporcionado y sus facciones habían sido esculpidas con más detalle.

Resultaba tan sorprendente que a Bipa le costaba dejar de mirarlo. Y, distraída como estaba, resbaló sobre las baldosas de hielo y cayó de espaldas, golpeándose dolorosamente. Dejó escapar un gemido y se quedó sentada en el suelo, tratando de recuperar el aliento. Cuando alzó la cabeza vio que el guardia de hielo seguía allí, esperándola; pero había otra figura junto a él, un hombrecillo pálido que la observaba con desaprobación. Era humano, aunque a Bipa no le inspiró mucha más confianza que el gigante de hielo.

En primer lugar, estaba extremadamente delgado, tan delgado que Bipa tuvo la impresión de que cualquier soplo de aire se lo llevaría en volandas. En segundo lugar, no era que estuviera pálido simplemente, sino que su rostro era completamente blanco, como si se lo hubiese pintado con polvos de tiza para borrar todo rastro de color de su semblante. También su pelo era blanco como la escarcha, y lo tenía peinado hacia arriba, en punta, lo cual acentuaba el aspecto alargado de su rostro. Y sus ropas eran las más finas que Bipa había visto jamás, tan tenues que casi dejaban ver la piel del hombre a través de ellas. Desde luego, no abrigarían mucho, pensó la muchacha, y se preguntó cómo alguien que vivía en una casa de hielo podía soportar el intenso frío vestido de aquella manera.

—¿Qué haces tú aquí? —soltó entonces el hombrecillo, con disgusto.

Bipa se levantó con dificultad. Le costó un poco mantener el equilibrio.

—He venido a ver a Gélida —dijo con precaución; todavía no estaba segura de que fuera una buena idea mencionar a Aer.

—¿Una opaca como tú quiere ver a Gélida?

—¿Opaca? —repitió Bipa, desconcertada. No era la primera vez que la llamaban de aquella manera. Sonaba a insulto, pero no estaba segura, y odiaba no entender lo que estaba sucediendo. Pasó por alto, sin embargo, el tono del individuo pálido y añadió:

—Llevo muchos días viajando y estoy cansada y hambrienta. Me preguntaba si podría alojarme aquí esta noche...

Se interrumpió al darse cuenta de que el otro la miraba de arriba abajo, con evidente fastidio.

—No vas a ser del agrado de Gélida —comentó.

—Por lo poco que sé de ella, sospecho que tampoco Gélida va a ser de mi agrado —replicó Bipa, molesta—. Pero ni siquiera ella puede llegar al extremo de dejar a una persona a la intemperie, aunque sea una opaca. ¿O es que tu Gélida no tiene corazón?

Al mencionar la palabra «corazón», los ojos del hombrecillo se posaron en el Ópalo que descansaba sobre el pecho de Bipa, y sus labios se curvaron en una extraña sonrisa, que la chica encontró sumamente desagradable. Tuvo la impresión de que aquel rostro blanquecino no solía sonreír a menudo.

—Ven —dijo el hombre; dio media vuelta y echó a andar hacia el interior de la casa. O tal vez andar no fuera el término correcto; más bien cabría decir que «se deslizaba», como los niños de las Cuevas cuando patinaban sobre el lago helado.

Bipa nunca había aprendido a patinar, porque lo consideraba inútil y peligroso, y en aquel momento se arrepintió de no haberlo hecho. Trató de seguir al hombrecillo a través del corredor, pero pronto resbaló, cayó de nuevo y se encontró sola. El gigante de hielo había vuelto a su puesto en la puerta, y su guía se había alejado ya demasiado.

Con un suspiro, Bipa se levantó de nuevo y avanzó, como pudo, aferrándose a los salientes de la pared. Cuando llegó por fin al final del pasillo desembocó en una amplia sala, con un techo altísimo del que colgaban enormes carámbanos de hielo que irradiaban una luz pálida y fría, similar a la de la Estrella. Bipa se obligó a apartar la mirada y a centrarla en el individuo macilento que la había guiado hasta allí, y que la aguardaba junto a la puerta. A su lado había una mujer alta y huesuda, también muy delgada —la joven empezó a perder la esperanza de que le dieran bien de cenar—, y vestida y peinada en el mismo estilo que su compañero, con el pelo y la cara tiznados de blanco y ropas albas y finas, similares a hojas marchitas.

—¿Eres Gélida? —le preguntó Bipa sin rodeos.

La mujer torció el gesto.

—Sígueme —dijo solamente, y desapareció a través de una puerta rematada en un arco apuntado. Bipa se volvió hacia el tipo pálido, pero éste se había quedado donde estaba y se limitó a mirarla con desdén. De modo que ella se apresuró a seguir a la mujer, como pudo, a través de salas y corredores. Como tenía que esforzarse por mantener el equilibrio, no pudo fijarse en lo que sucedía a su alrededor, pero sí vio de reojo a más personas pálidas y delgadas, con el cabello de punta, como llamas blancas enmarcando sus rostros empolvados de tiza. Vio también a algunas criaturas de hielo, pero más pequeñas, de tamaño humano, que se deslizaban por los corredores, haciendo crujir sus articulaciones. El motivo por el cual eran capaces de moverse resultaba un misterio que habría tenido a Aer ensimismado durante semanas, pero Bipa no le prestó atención en aquel momento. Tenía cosas más importantes en que pensar.

La mujer la llevó hasta una pequeña habitación con una cama, un arcón y una cómoda.

—Aséate y cámbiate de ropa —le ordenó—. Podrás ver a Gélida a la hora de cenar, pero sólo si estás presentable.

Bipa abrió la boca para replicar, pero la mujer ya se había dado la vuelta, con un crujir de su túnica, y se alejaba por el pasillo.

La muchacha suspiró. La habitación era fría y austera, pero mucho mejor que cualquiera de los lugares donde había dormido desde que abandonara su casa. Y además habían dicho que le darían de cenar.

Corrió la cortina que hacía las veces de puerta y dejó su mochila en un rincón. Probó la cama; estaba bien, aunque las sábanas eran muy finas y no había mantas. Tampoco había nada parecido a una chimenea en la habitación. Bipa supuso que no podrían encender fuego en aquel lugar, porque se vendría todo abajo. Por fortuna, llevaba manta y abrigo encima y, con un poco de suerte, no pasaría frío aquella noche.

Se acercó a la cómoda y vio una palangana llena de agua. Estaba tremendamente fría, pero aun así aprovechó para lavarse la cara y las manos. Se preguntó si la gente del castillo de Gélida tomaba baños calientes alguna vez, y suspiró con añoranza. Lo más parecido a un baño caliente que había tomado en los últimos tiempos había sido una especie de ducha, allá en su cueva de las montañas, derramando por encima de su cabeza una olla de agua, procedente de un montón de nieve calentada al fuego.

Descubrió sobre la cómoda varios botes con polvos blancos, que, adivinó, estaban destinados al maquillaje de la piel y del pelo. «Ni hablar», se dijo a sí misma. Abrió el arcón y extrajo de él varias prendas del mismo material fino y translúcido. Escogió una túnica similar a la que le había visto a la mujer que le había guiado hasta allí. «Me voy a morir de frío con esto», pensó. Pero la promesa de la cena era demasiado tentadora, por lo que se despojó de su abrigo y de su cálida ropa y, tiritando, trató de ponerse la túnica.

No tardó en comprobar que era demasiado estrecha para ella. Lo intentó con todas las prendas que sacó del arcón, pero, invariablemente, parecían hechas para gente mucho más delgada, por lo que volvió a dejarlas en su sitio y soltó la tapa, con un estrépito que delataba su mal humor. Volvió a ponerse su propia ropa y se sintió mucho mejor. Poco a poco, fue entrando otra vez en calor.

Al cabo de un rato regresó la mujer a buscarla. Torció el gesto al verla tranquilamente sentada en la cama, todavía embutida en sus ropas de lana y piel.

—¡Opaca! —la riñó—. ¿No te he dicho que te vistieras con algo más apropiado?

—Me llamo Bipa —replicó ella—. Y lo habría hecho si tuvieseis ropa para gente normal, y no sólo para esqueletos andantes.

—¡Esqueletos andantes! —repitió la mujer, pasmada—. ¡No has comprendido nada acerca de nuestra verdadera esencia, pequeña opaca! Nosotros, los pálidos, hemos emprendido ya el camino del Cambio. Sin embargo, a ti todavía te falta mucho para llegar a nuestro nivel. ¡Deberías agradecer que te hayamos permitido entrar en el hogar de nuestra señora! ¡Deberías suplicarnos que te ayudemos a alcanzar un estado adecuado de esbeltez! ¡Deberías avergonzarte de tu aspecto!

—¿Avergonzarme, yo? —soltó Bipa, que apenas entendía lo que le estaban diciendo—. ¿Por qué razón? ¡En cualquier caso, me daría vergüenza parecerme *a ti!*

La mujer palideció un poco más, si es que esto era posible.

—¡Cómo osas hablarme así, tú que eres un... cúmulo de carne! —le echó en cara—. ¡Ni siquiera has tenido la decencia de blanquearte el pelo por lo menos! ¡Eres... eres repugnante!

Bipa montó en cólera.

—Mi pelo es mío, me gusta así y no quiero cambiarlo —replicó—. Y no soy un cúmulo de carne. Soy una mujer y tengo formas de mujer, y si estuviera tan delgada como tú me moriría de frío. En el lugar del que vengo, los padres alimentan bien a sus hijos para que sobrevivan a las noches de ventisca y a los tiempos de escasez, y nadie adelgaza hasta que se le marquen las costillas, a no ser que esté muy enfermo, cosa que, por supuesto, no es un estado que nadie en su sano juicio desee alcanzar. Y lo que sí es verdaderamente repugnante es tu forma de tratar a las visitas.

La mujer entornó los ojos y le dio una bofetada en pleno rostro. Ella se la devolvió en un acto reflejo. La otra la contempló, horrorizada, como si estuviese viendo un monstruo, y salió huyendo por el pasillo, deslizándose con precipitación y dejando escapar cortos alaridos de terror.

Bipa respiró hondo y trató de calmarse. No se arrepentía de haberle dicho todo aquello, pero estaba empezando a pensar que debería haber contenido su lengua. Ahora no le darían de cenar, si es que era cierto que en aquella casa se comía alguna vez.

En cualquier caso, no podía quedarse esperando. Volvió a abrir el arcón y sacó unos zapatos que había visto antes, y que tenían una suela que parecía ofrecer cierta resistencia al hielo. Se los puso, suponiendo que con ellos le sería más fácil deslizarse por los pasillos. Tras esconder su mochila debajo de la cómoda, se asomó al exterior. No vio a nadie. Salió al pasillo, dispuesta a explorar el hogar de Gélida.

Al principio avanzó con precaución, escondiéndose tras los marcos y las columnas de hielo para evitar que la vieran, pero, poco a poco, fue olvidándose de tener cuidado. La vida en aquel lugar le parecía tan extraña y sin sentido que una parte de sí misma estaba convencida de sufrir los efectos de un sueño absurdo del que no había despertado aún.

Habitaba poca gente en el inmenso palacio, aquel monstruoso esqueleto frío y blanquecino, que más se parecía a una gigantesca cáscara hueca que a un hogar de verdad. Muchas de esas personas, si es que lo eran realmente, estaban conformadas de hielo, como los gigantes de la entrada. Éstos parecían más bien ejercer funciones de criados o de vigilantes; pero, si en realidad vigilaban algo, o bien lo hacían con escaso interés o no consideraban que Bipa fuese digna de su atención, porque apenas la miraban cuando pasaba por su lado.

Las personas de carne y hueso —o, mejor dicho, se corrigió Bipa desdeñosamente, «de piel y hueso»—, los pálidos, como los había llamado la mujer con la que había discutido, sí reparaban en ella. Su presencia interrumpía conversaciones y atraía miradas de reprobación. Pero nadie le dirigió la palabra ni trató de averiguar qué hacía ella allí. Se limitaban a torcer la cara en una mueca de disgusto y a retomar sus actividades, volviéndole la espalda y fingiendo que no la habían visto.

Y sus actividades parecían tremendamente insustanciales. Charla insulsa y vacía, risas forzadas, juegos de manos, coqueteos frívolos... Incluso aquellos que se dedicaban a cosas más prácticas, como supervisar a las criaturas de hielo o trajinar en una gran sala, llena de utensilios, recipientes y alacenas, que Bipa deseó con fervor que fuese una cocina, lo hacían de forma indolente, como si aquellas tareas fuesen demasiado mundanas para ellos. Bipa no tardó en sentirse espantosamente fuera de lugar. Ya no se trataba sólo de que fuese extranjera en el palacio de Gélida, o de que aquellas personas pensaran y actuaran de una forma incomprensible para ella. Era que tenía la sensación de que ni siquiera eran humanas. No más que aquellos seres de hielo que recorrían los pasillos. Con todo, Bipa no pudo evitar pensar que los habitantes del palacio de Gélida estaban frustrados por alguna razón. Había en sus ojos un leve brillo de añoranza, no como el de Nuba, que echaba de menos a su hombre, sino más bien parecido al de Aer: un anhelo de algo que escapaba al entendimiento de Bipa. Un deseo de estar en otra parte, una «Otra Parte» que tal vez habían visto en sueños o a través de los cuentos de una madre. Bipa casi los compadeció. Nunca había podido comprender que Aer quisiera cambiar las Cuevas por alguna otra cosa. Pero no le costaba nada entender que cualquier persona sintiese deseos de escapar de la morada de Gélida.

Sacudió la cabeza para alejar aquellas ideas de su mente. Los pálidos exhibían con orgullo sus ropas finas y sus rostros empolvados. A juzgar por la forma en que miraban a Bipa, parecían considerar un honor vivir allí y de aquella manera. La joven empezó a preguntarse qué clase de mujer sería Gélida, y por qué aquellas personas, que por lo visto vivían según sus reglas, estaban orgullosas de hacerlo.

No tardó en hallar respuesta a aquellas preguntas. Momentos después, el sonido de una campanilla, vibrante y apremiante, llegó a todos los rincones del palacio. Todos los pálidos dejaron lo que tenían entre manos y se pusieron en marcha, a través de pasillos y estancias, siguiendo la voz de la campanilla. Bipa fue tras ellos.

Llegaron a un enorme salón con una larguísima mesa que lo ocupaba prácticamente por completo. En uno de los extremos de la misma había un alto trono, reservado, sin duda, para la señora de la casa.

Bipa se obligó a apartar la mirada de la mesa, donde ya habían dispuesto servicios de cristal que anunciaban la cena, para echar un vistazo a su alrededor en busca de Gélida. Se preguntó si la reconocería: todas aquellas personas blancas y delgadas le parecían iguales. Sin embargo, no tardó en tranquilizarse en ese sentido, porque supo quién era Gélida en cuanto la vio, y entendió, de golpe, por qué ella tenía la silla más grande, y por qué aquellas personas vivían en su palacio de aquel modo.

Gélida estaba junto al ventanal, conversando con dos hombres y una mujer que se habían acercado a saludarla. Lucía ropas del mismo estilo que los demás, pero, sin ninguna razón aparente, las suyas parecían más ligeras, más vaporosas. Su delgadez se asemejaba más bien a la esbeltez de un junco. Su rostro era níveo y su cabello, de color blanco, sin necesidad de polvos, tintes ni afeites. Sus ojos parecían cristales de nieve.

Era a ella, comprendió Bipa entonces, a quien los pálidos trataban de imitar. Y tuvo que admitir que era una dama hermosa, a pesar de aquella insana delgadez que ella llevaba con gracia natural. Pero, si hubiese sido tan sabia como hermosa, no habría permitido que aquellas personas la copiaran de un modo tan artificial. «Maga no lo habría aceptado», pensó, y se preguntó por qué se habría acordado de ella en aquel instante. En cualquier caso, pensar en Maga le hizo recordar el motivo por el que estaba allí. Ignorando las miradas de desaprobación de la gente, se adelantó desde el lugar que ocupaba, en un discreto segundo plano, y se acercó a Gélida.

Ella escuchaba, con la cabeza ligeramente inclinada sobre su cuello de cisne, la aduladora cháchara de uno de los hombres, pero no parecía ni molesta ni complacida. Su frío rostro de esfinge no mostraba la menor emoción.

Cuando advirtió la presencia de Bipa, levantó la mirada y la clavó en ella. No dijo nada. Aguardó, como habría aguardado la imagen de una diosa, inmóvil e inconmovible, a que sus fieles depositaran ofrendas a sus pies.

Pero Bipa no era una de sus fieles, ni pensaba serlo.

—Hola —saludó—. Me llamo Bipa, y vengo de las Cuevas. Me gustaría hablar contigo un momento.

Las personas de rostros empolvados murmuraron entre ellas, escandalizadas. Pero Gélida sólo sonrió, una media sonrisa que más parecía una grieta en una superficie escarchada que una verdadera sonrisa, y dijo:

—Dejadnos a solas.

—Pero, mi blanca señora, ¡es una opaca!

—Lo sé —cortó ella, con una voz tan fría como su nombre—. Dejadnos a solas, he dicho.

Los tres se retiraron, y nadie más osó acercarse.

—¿Qué significa opaca? —quiso saber Bipa.

—Significa que no eres etérea.

Bipa tampoco tenía muy claro el significado de la palabra «etérea». Sólo sabía que tenía que ver con la Emperatriz.

—Por supuesto que no lo soy. He nacido en las Cuevas, como ya te he dicho. ¿Vosotros sois etéreos?

—Somos menos opacos que tú, y eso debería bastarte —replicó Gélida, en un tono con el que pretendía dejar patente su superioridad sobre Bipa—. ¿Acaso no sabes quiénes somos?

—Tengo entendido que os llamáis los pálidos —respondió ella—. Salta a la vista por qué.

Gélida esbozó una media sonrisa.

—Así nos llaman, ciertamente. Pero también se nos conoce como los gélidos. ¿Sabes por qué razón?

—¿Porque todos los que viven aquí quieren ser como tú?

Ella la miró con condescendencia; al parecer no había captado la ironía de las palabras de Bipa.

—Porque veneramos la pureza del hielo; porque lo esculpimos y moldeamos, y porque ansiamos poder alcanzar su transparencia. Y tú, si lo deseas con fuerza, pronto serás como nosotros.

—No, gracias —se apresuró a responder Bipa—. No lo deseo lo más mínimo.

La sonrisa de Gélida se esfumó.

—¿Por qué motivo, pues, has venido a llamar a mi puerta? —preguntó con sequedad.

Bipa dudó. No estaba segura de que debiera hablarle de Aer.

—Estoy de paso —repuso, esquiva—. Voy hacia el palacio de la Emperatriz.

Gélida se rió, con una risa helada y cortante.

—Nunca podrás llegar al palacio de la Emperatriz. Eres demasiado opaca. Podría ser que —añadió sugestivamente—, si te quedaras un tiempo aquí, lograras volverte pálida, como nosotros, y eso significa que serías un poco más etérea y un poco menos opaca. No bastaría para que llegases a la Emperatriz, pero ya estarías un paso más cerca.

Bipa sacudió la cabeza.

—No, gracias. Prefiero quedarme como estoy.

—Eres una pobre niña ignorante —sonrió Gélida con desdén—. Prefieres revolcarte en el barro antes que aspirar a lo más alto.

—Yo no me revuelco en el barro —observó Bipa—. Y no hace falta ser muy lista para darse cuenta de que aquí la gente se muere de hambre. Así que no veo por qué debería tener en cuenta la opinión de alguien que vive en una casa de hielo y dice que es mejor ser blanca y flaca que estar sana y tener un hogar cálido y confortable. Es una idea absurda y estúpida.

Cuando se dio cuenta de lo que había dicho, se mordió la lengua, pero ya era tarde. Se maldijo por no haber podido contenerse. Pero Gélida no pareció inmutarse.

—Oh —dijo—. Muy bien. De modo que crees que aquí la gente se muere de hambre. Deduzco entonces que no querrás quedarte a cenar para compartir nuestra comida inexistente.

Bipa se ruborizó; y no era algo que le sucediese a menudo.

—Sí, me gustaría —mascullÓ.

Gélida sonrió, complacida.

—Bien. Entonces, siéntate a la mesa, y cenemos. Después, tendremos otra conversación. Sé que los opacos os tomáis muy en serio las necesidades del cuerpo. Tal vez cuando tengas tu enorme estómago lleno, te comportes de un modo un poco más sociable.

Bipa resopló por lo bajo, pero no replicó. Murmuró un agradecimiento y fue a ocupar de nuevo su rincón. Gélida se sentó ante la mesa momentos después. Tras ella, lo hicieron el resto de comensales. Bipa se quedó de pie hasta que una de las criaturas de hielo trajo una silla para ella. Cuando se sentó, las personas acomodadas a su derecha e izquierda se apartaron un poco. Bipa las ignoró y centró su atención en los criados que recorrían la estancia portando grandes ollas de sopa. Los cucharones eran demasiado pequeños como para que las manos de las criaturas de hielo los manejaran con soltura, por lo que cada comensal debía servirse a sí mismo. Bipa observó que procuraban ponerse raciones muy pequeñas y que, cuando empezaban a comer, lo hacían con cierto gesto avergonzado. También se dio cuenta de que los criados de hielo sostenían las ollas sin problemas, y no pudo evitar preguntarse cómo era posible que no se les derritieran las manos.

Cuando le llegó el turno, entendió la razón. Decepcionada, comprobó que se trataba de una sopa fría, aguada y con poca sustancia. Ante la mirada horrorizada de sus compañeros de mesa, llenó su cuenco hasta que casi se desbordó. Se lo terminó enseguida. La sopa fría no llenó su estómago ni calmó su hambre, por lo que quedó aguardando, impaciente, el segundo plato.

Pero no hubo segundo plato. Gélida, que sólo había probado una cucharada de sopa, se levantó de la mesa en cuanto los criados retiraron los servicios, y todos los demás la imitaron.

Sólo Bipa se quedó sentada, incapaz de creer lo que estaba sucediendo.

—¡Un momento...! —exclamó a media voz. Las personas que estaban más próximas a ella fingieron que no la habían oído.

Furiosa, Bipa se levantó y avanzó a grandes zancadas hasta Gélida.

—¿Esto qué es? ¿Una broma? —le espetó.

—Oh, ¿no te ha gustado la cena?

—No he tenido ocasión de juzgar. Lo cierto es que cuando has hablado de «cena inexistente» creía que se trataba de un sarcasmo.

Gélida sonrió con desprecio.

—Los opacos, jovencita... dependéis demasiado de vuestras necesidades corporales. Nosotros, los pálidos, estamos por encima de todo eso.

—Tonterías. Si no comierais, estaríais todos muertos.

—Pero no lo estamos, ¿verdad? Sé a qué has venido aquí, Bipa. No vas al palacio de la Emperatriz. No tienes el menor interés en ser como los etéreos o siquiera en conocerlos. Tu mente simple y primitiva es incapaz de captar siquiera un atisbo de su grandeza.

Bipa bufó y fue a replicar, pero las palabras que Gélida pronunció a continuación la hicieron callar.

—Has venido a buscar al muchacho opaco que me robó mi flor de cristal.

La joven abrió la boca, pero la cerró de nuevo, incapaz de responder.

—Resultaba evidente —prosiguió Gélida—. Sólo hay un motivo por el cual los opacos abandonan sus Cuevas para venir hasta aquí, y es porque quieren ser etéreos. Pero tú, querida mía, no quieres ser etérea. La única razón por la que podrías estar aquí tenía que ser que estuvieras buscando a alguien.

Bipa respiró hondo.

—Ese chico se llama Aer y es mi amigo —declaró—. Ya ha sobrevivido a un viaje por las nieves, pero no sé si tendrá tanta suerte la próxima vez. Por eso lo busco. ¿Ha estado aquí?

—Estuvo aquí hace tiempo, sí. Se sumó a mi corte para aprender de mí. Sabía que no estaba preparado para proseguir su viaje, y por eso se quedó... Pero en lugar de esperar, perder opacidad y continuar adelante, como hacen todos, él me robó uno de mis tesoros de cristal, y ahora sé que volvió atrás... con los opacos... contigo —se rió, con aquella risa fría y elegante—. ¿Por qué razón debería darte noticias de él? ¿Me devolverás a cambio mi flor de cristal?

Bipa se preguntó si debía decirle que Aer se la había regalado a ella. Desechó la idea. No valía la pena; la flor estaba muy lejos, en la cueva que Bipa compartía con Topo y que era su hogar. Y no le iba a servir de nada a Gélida saberlo.

—No puedo devolvértela —respondió, y era verdad.

Gélida sonrió de nuevo.

—Lo suponía —dijo solamente.

—¿No me vas a decir entonces si Aer pasó por aquí después de lo de la flor? Al fin y al cabo, yo no tengo la culpa de que te la robara. Pídesela a él, no a mí.

—Suponía que te la había regalado a ti. Pero no te preocupes, porque es otra cosa lo que te voy a pedir a cambio de la información que necesitas. Acompáñame.

Con un ligero crujido de sus ropas, Gélida se encaminó hacia la puerta. Bipa la siguió, pero fue la única. Con un solo gesto, la dueña del palacio de hielo disuadió a los demás comensales de ir tras sus pasos.

Recorrieron el frío y desolado hogar de Gélida hasta una sala custodiada por dos gigantes de hielo. Las criaturas se movieron para obstruir el camino, pero Gélida dijo:

—Dejadnos pasar.

Y ellos se retiraron a un lado. Gélida entró en la habitación, y Bipa fue tras ella. La chica se quedó impresionada, a su pesar. Aquello era un pequeño museo de joyas de cristal, semejantes a la flor que Aer le había regalado tiempo atrás. Había jarras, vasos y bandejas, pero también figuras de personas, árboles, peces, animales y otros seres que Bipa desconocía, todos tallados en un cristal tan puro como refulgente.

—Maravillas traídas de la Ciudad de Cristal —dijo Gélida a media voz—. Absolutamente transparentes. Un paso más hacia la esencia de los etéreos. ¿Tienes idea de lo valiosas que son? No, claro, no puedes tenerla —terminó en actitud desdeñosa—. Y, sin embargo sí que puedes compensarme por la pérdida de una de las piezas más valiosas de mi colección.

—No tengo nada que darte... —empezó Bipa, pero Gélida la cortó:

—Sí que lo tienes —alargó su blanca mano hacia ella, y su dedo índice, rematado por una larga uña de hielo, señaló el pecho de Bipa—: Quiero tu colgante —dijo.

Ella se llevó la mano, instintivamente, hacia el trozo de cuarzo que su amigo le había regalado y que aún pendía sobre su pecho.

—Ése, no —se impacientó Gélida—. El otro. Dámelo y te diré dónde está Aer.

Bipa se quedó anonadada. Primero, porque Gélida reconocía que tenía noticias de Aer y que podría guiarla hasta él. Segundo, porque le estaba pidiendo a cambio el Ópalo que Maga le había entregado. Lo cubrió rápidamente con ambas manos, quizá para protegerlo de la ávida mirada de la mujer de hielo.

—No puedo dártelo. No es mío, sólo me lo han prestado.

Ella rió abiertamente.

—No te creo. No es algo que nadie abandonaría voluntariamente, muchacha. Muchos matarían por poseer algo así, de modo que no me hagas creer que te lo han prestado. Tienes que haberlo robado en alguna parte.

Pero Bipa apenas la escuchaba. Se había dado cuenta, por primera vez, de que sobre el pecho de Gélida también descansaba un Ópalo como el suyo, pero de un tono pálido, desvaído, casi blanco, como si el calor de la piedra se hubiese apagado, como si el Ópalo se hubiese cansado de seguir vivo, si es que las gemas podían atesorar alguna clase de «vida» en su interior. En comparación, el Ópalo de Bipa, el de Maga, se mostraba refulgente como una pequeña esfera de fuego.

—¿Qué le ha pasado al tuyo?— quiso saber.

—No es de tu incumbencia. Lo único que tienes que saber es que si me entregas tu Ópalo te diré dónde está tu amigo. Yo en tu lugar no me lo pensaría —añadió con una sonrisa—, porque sin mí nunca lo encontrarás.

—No estés tan segura —replicó ella—. Además, ya te he dicho que el Ópalo no es mío, y que no lo puedo entregar a la ligera. Y si no quieres creerme, allá tú —concluyó, muy digna.

—Como gustes —dijo Gélida—. Regresa, pues, a tu habitación, si lo deseas, y reflexiona sobre mi oferta. Pero date prisa: cuanto más tardes en decidirte, más alejarás a Aer de ti.

Algo comprimió el corazón de Bipa, produciéndole una sensación angustiosa. Pero respondió, sin embargo:

—De nada me servirá saber dónde está Aer si no tengo el Ópalo para que me mantenga con vida.

—Quién sabe —dijo Gélida, crípticamente—. Tal vez él esté más cerca de lo que crees.

Bipa le respondió con un gruñido.

Momentos más tarde, caminaba de vuelta a su cuarto. Escondió el Ópalo bajo la camisa y se sintió reconfortada por su suave calidez. Se preguntó por qué lo querría Gélida, y por qué el Ópalo de ella parecía tan triste y apagado. Pero enseguida apartó de su mente aquellos pensamientos. Lo principal era decidir qué debía hacer.

Podía abandonar el hogar de Gélida por la mañana y proseguir la búsqueda de Aer por su cuenta. La idea de continuar tan pronto aquel viaje tan duro la desalentaba, pero el hecho de que aquel palacio no fuese muy acogedor hacía un poco más fácil la partida. Por otra parte, ¿y si Aer estaba ahí mismo, en el palacio? ¿Y si Gélida lo mantenía prisionero?

Se le ocurrió que, aunque Gélida no quisiese responder a sus preguntas, tal vez otra persona sí lo haría.

VII

Huida hacia el valle

De modo que, en lugar de regresar directamente a su habitación, Bipa se perdió por los largos corredores, deslizándose lentamente sobre el suelo helado. Trató de entablar conversación con las criaturas de hielo, pero pronto comprobó que eran tan mudas como el gigante de nieve que la había acompañado hasta allí.

Atisbó entonces a un joven, larguirucho y empolvado, como todos los demás, en un pasillo. Supuso que la ignoraría, igual que el resto de los habitantes del lugar, pero se acercó de todas formas. Quizá lo hizo porque, en cierto modo, el chico le recordaba un poco a Aer.

—Hola —le saludó—. ¿Vives aquí? —era algo obvio, lo sabía, pero de alguna manera tenía que iniciar la conversación.

—¿Qué quieres, opaca? —preguntó él, desconfiado.

—Estoy buscando a alguien —le confió Bipa—. Un opaco como yo. Bueno... —puntualizó—, no exactamente como yo. Con el pelo más claro, y bastante más delgado que yo. Pero no tan delgado como tú —«Gracias a la Diosa», añadió para sí misma—. Es un chico más o menos de tu edad. Estuvo una vez aquí...

Dejó la frase sin terminar y aguardó, conteniendo el aliento. El joven inclinó la cabeza y reflexionó.

—Sí, me acuerdo de él. Hizo algo que puso a Gélida de mal humor durante días, pero desapareció antes de que ella pudiera castigarlo.

—¿Y no ha vuelto por aquí?

—Si lo ha hecho es muy osado. Pero yo, por lo menos, no lo he visto.

Bipa cerró los ojos un momento, espantosamente abatida. Si Aer no había llegado al palacio de Gélida lo más probable era que hubiese muerto de hambre o de frío por el camino. Bipa se había entretenido demasiado; había tardado bastante en salir a buscarlo, se había detenido mucho tiempo en la cordillera y, además, varias tormentas de nieve habían entorpecido sus pasos. Era imposible que hubiese adelantado a Aer. Él tendría que haber alcanzado el palacio de Gélida mucho antes que ella.

—Deberías preguntar en la cocina —sugirió entonces el joven, tal vez apiadado por la expresión de desaliento dibujada en el rostro de Bipa—. Nívea sabe siempre quién entra y quién sale. Tal vez ella pueda decirte más.

—Gracias —respondió Bipa de corazón, y salió disparada por el pasillo, con tan mala fortuna que resbaló sobre el hielo y cayó aparatosamente al suelo.

El muchacho no la ayudó a levantarse, pero ella no se lo reprochó. Era mejor que aquel contacto se prolongara lo menos posible. Si Gélida la sorprendía preguntando por Aer, haría lo posible por apartarla de cualquier fuente de información en potencia.

No tardó en llegar a la cocina, donde los criados de hielo recogían los restos de la exigua cena. Entre ellos había una mujer que los dirigía con órdenes rápidas y contundentes. A Bipa se le cayó el alma a los pies. Era la misma mujer que le había conducido a su habitación y a la que había propinado una bofetada.

Si ella era la persona a la que debía preguntar, ya podía ir despidiéndose de las respuestas que buscaba. De todos modos tenía que intentarlo.

—Hola, ¿eres Nívea? —saludó.

Ella la miró y, al reconocerla, dejó escapar un chillido horrorizado.

—Siento lo de antes —dijo Bipa, deprisa—. Pero has de reconocer que te merecías esa bofetada. Tú me pegaste a mí primero.

—¡Fuera de aquí! —gritó ella, mirándola como si fuera un horrible engendro escapado de sus peores pesadillas—. ¡Vete! ¡Vete!

—Me iré si me respondes a unas preguntas —prometió la muchacha—. Estoy buscando a un chico de mi edad, un opaco, que llegó aquí hace tiempo.

—¡Vete! —seguía gritando Nívea—. ¡Echadla de aquí! —aulló.

Y los criados de hielo se volvieron hacia ella, todos a una, como si hubieran reparado en su presencia de pronto. Bipa entendió que no tenía mucho tiempo.

—¡Por favor! —insistió—. ¡Vengo de muy lejos sólo para encontrarlo! —y una parte de su mente se preguntó si todo aquello no sería un sueño, porque lo cierto era que la sensata Bipa jamás habría cometido una locura semejante, y mucho menos por el irresponsable Aer; pero su corazón habló por ella y le hizo reiterar su súplica—. Vengo de muy lejos... sólo para encontrarlo —añadió en voz más baja—. Para encontrarlo y llevarlo de vuelta a casa.

Algo en su mirada, o tal vez en su voz, conmovió a Nívea.

—No tendría que decirte esto —confesó, con voz temblorosa—. Pero ese chico que dices estuvo aquí hará unos quince días. Llegó por la noche y vino directamente a la cocina. Le di un plato de sopa y le ofrecí una habitación, pero no quiso aceptarla. Se quedó en ese rincón, con la mirada perdida, envuelto en ese horrible y peludo abrigo que traía. Fui a avisar a Gélida de su llegada, pero cuando volvimos, ya se había marchado. No lo hemos vuelto a ver.

El corazón de Bipa latió más deprisa. «Hace quince días, Aer estaba vivo», pensó. Casi pudo verlo allí, en el rincón que Nívea le había señalado, con el tazón de sopa fría entre las manos y los ojos repletos de deseos absurdos e irrealizables, tan reales para él que le impedían percibir con claridad lo que había a su alrededor.

«He tachado de locos a los que viven en esta casa —se dijo Bipa de pronto—. Pero yo lo he dejado todo atrás para tratar de recuperar al loco más loco que he conocido jamás. ¿Quién es el más loco de todos?»

Alzó la mirada hacia Nívea, que seguía contemplándola, paralizada, temblando de terror.

—Muchas gracias —dijo—. No te molestaré más.

Salió de la cocina y regresó a su habitación para reflexionar. Aer le llevaba quince días de ventaja. Eso era mucho tiempo, pero, por otro lado, también suponía una buena noticia.

¿Lo era? Bipa se dijo a sí misma, desalentada, que, si le hubiesen confirmado que nadie había vuelto a ver a Aer en el hogar de Gélida, probablemente ella lo habría dado por muerto y habría vuelto atrás, a casa, con los suyos.

Pero ahora que sabía que seguía vivo o, al menos, que lo estaba todavía quince días atrás, se sentía obligada a seguir adelante.

Aunque, en realidad, Aer se había marchado por voluntad propia, y con toda seguridad ella hacía el ridículo yendo tras él. Tomó el Ópalo entre sus manos, buscando respuestas. Lo sintió latir sobre su piel, como un pequeño corazón, y pensó que Maga le había entregado algo tan valioso porque era importante que trajese a Aer de vuelta. «Sin el Ópalo, no habría llegado tan lejos», pensó. Señal de que contaba con el beneplácito de Maga y la protección de la Diosa.

Decidió que reemprendería su camino al día siguiente, al amanecer. Se echó sobre la cama y trató de dormir pero, a pesar de lo cansada que estaba, no lo consiguió. El lecho era duro y frío y, por otra parte, Bipa tenía tanta hambre que el ruido de sus tripas la desvelaba. Y fue una suerte, porque estaba despierta cuando los criados de hielo entraron en su habitación, abriendo la puerta con violencia, para arrebatarle el Ópalo.

Bipa los oyó deslizarse por el pasillo. Sus pies chirriaban sobre la superficie helada, y ella se incorporó, sobresaltada. Para cuando la puerta se abrió, la muchacha ya había recogido su mochila y estaba de pie junto a la ventana, alerta.

—¿Qué queréis? —les gritó.

Las criaturas no respondieron, pero avanzaron abriéndose en abanico para rodearla. Una de ellas alargó los brazos hacia Bipa, y sus dedos ganchudos trataron de atrapar el Ópalo que colgaba de su cuello.

—Déjame, ¡es mío!

—Creí que habías dicho que no era tuyo, querida —dijo la voz de Gélida desde la puerta.

Bipa retrocedió un poco más, mientras los seres de hielo estrechaban el círculo.

—¡Teníamos un trato! —protestó.

Gélida se rió.

—Yo ya he cumplido mi parte. Sé que Nívea te ha contado todo lo que querías saber, así que entrégame el Ópalo ahora mismo.

—En todo caso tendría que dárselo a ella, y no a ti. Pero con ella no hice ningún trato... ¡Déjame! —gritó de nuevo, retrocediendo ante otra mano de hielo que trataba de capturarla.

—¿No te gustan mis golems de hielo? —sonrió Gélida—. Son mi creación más perfecta. Claro que con tu Ópalo podré hacer criaturas aún más puras. Pero tú no sabes de qué hablo, ¿verdad? Después de todo, no eres más que una opaca.

Bipa chilló cuando unas garras heladas la aferraron desde atrás. Pataleó con todas sus fuerzas para liberarse. La criatura a la que Gélida había llamado «gólem de hielo» no esperaba una reacción tan enérgica por su parte, por lo visto, puesto que aflojó su presa por un instante. Bipa se volvió y lo empujó con todas sus fuerzas sobre los otros.

Las criaturas de hielo cayeron unas encima de otras. Bipa oyó un crujido desagradable, pero no prestó atención. Haciendo acopio de energía, lanzó su mochila contra la ventana. El cristal, grueso y translúcido, se rompió con estrépito. Bipa se disponía a saltar por la ventana, siguiendo el camino de su mochila, pero una mano fría la retuvo por la muñeca.

—¿Adónde crees que vas? —siseó Gélida.

—A donde me da la gana —replicó Bipa.

Ambas forcejearon un instante, pero Bipa era más fuerte. La empujó contra la pared y huyó por el hueco abierto en el cristal. Se hirió en una pierna al traspasarlo, pero no se detuvo.

Ya en el exterior, rodó por la nieve y se puso en pie con esfuerzo. Cojeando, recuperó su mochila y escapó en la oscuridad, dejando un reguero de sangre tras de sí. Estaba demasiado aturdida como para saber dónde se encontraba o hacia dónde iba, pero no tardó en descubrir que se movía en un enorme círculo, rodeando la casa, porque topó con la arcada de témpanos de hielo que conducía a la entrada. Agotada y dolorida, cayó de rodillas sobre la nieve, incapaz de levantarse. Antes de que se le nublaran los ojos, sin embargo, vio que los dos colosos de hielo que guardaban la puerta avanzaban hacia ella. Y en esta ocasión ya no parecían las criaturas indiferentes que había confundido con estatuas, sino gigantes gélidos que enarbolaban enormes lanzas y que acudían a ella con claras intenciones homicidas. Sus pasos hacían crujir la nieve de manera siniestra y sus grandes corpachones bloqueaban todo su campo de visión. Bipa sabía que en dos zancadas llegarían hasta ella, y entonces todo habría terminado...

Pero algo la levantó en vilo, algo tan frío y húmedo que le hizo lanzar una exclamación angustiada. Se vio volando por los aires y, antes de que pudiera tomar aliento, la soltaron sobre lo que parecía un enorme montón de nieve. Bipa boqueó, tratando de escupir la nieve que había tragado sin querer, pero no tuvo tiempo de acostumbrarse a su nueva situación porque aquella mole empezó a moverse, alejándose de los golems de hielo, a grandes zancadas... y llevándosela con él.

Bipa tardó un poco en comprender lo que estaba sucediendo, pero, cuando lo hizo, una cálida emoción la inundó por dentro. Claro, ella tenía su propio gólem... Un gólem de nieve, la criatura que la había seguido lealmente desde las montañas y que ahora le había salvado la vida, la Diosa sabría por qué...

Aún aturdida, dejó caer la cabeza sobre la espalda del coloso, que la cargaba sobre sus hombros mientras corría a buen ritmo por la estepa nevada. Oía tras ella el cru-

jido de los golems de hielo que los seguían, y por el sonido dedujo que ya no eran dos, ni una docena, sino muchos más, tal vez un centenar. Pero estaba tan cansada que no fue capaz de mantener los ojos abiertos. De modo que cayó dormida, mecida por el balanceo del gigante, y soñó con criaturas de hielo y con seres blancos y delgados, con cenas inexistentes y con pequeñas maravillas de cristal; soñó con Gélida y con Nívea; y también soñó con Aer.

Entretanto, el gólem de nieve corría con su preciada carga, mientras, a sus espaldas, todo el ejército de golems de hielo de Gélida los perseguía sin tregua.

Clareaba ya cuando la criatura la dejó caer al abrigo de una enorme roca. Bipa volvió en sí lentamente, y lo primero que vio fue el rostro del gigante de nieve inclinado sobre ella. Se asustó en primera instancia, pero se relajó enseguida.

—¿Dónde estamos? —preguntó, aun sabiendo que no obtendría respuesta.

Trató de levantarse y, al sentir una punzada de dolor en la pierna, recordó que estaba herida. Se subió la pernera del pantalón hasta localizar la lesión. Se la limpió con nieve y, acto seguido, miró a su alrededor en busca de su mochila. No andaba muy lejos. Se estiró para alcanzarla y rebuscó en su interior hasta encontrar una bolsa que contenía un polvo hecho con un tipo de raíz reseca, y que Maga le había dado antes de partir. Lo mezcló en un bol con nieve hasta conseguir una pasta de color marrón, y se la aplicó sobre la herida.

—Debería ser una cataplasma caliente— le explicó al gólem—, pero, tal y como están las cosas, no se puede pedir más.

Se vendó la pierna con fuerza y, cuando terminó, alzó la cabeza para mirar al coloso de nieve.

No le estaba prestando atención. Había trepado a lo alto de un montículo y escudriñaba el horizonte con sus ojos huecos. Por un momento, a Bipa le pareció un ser tan frágil y amorfo que volvió a creer que su improbable existencia sólo podría deberse a un desvarío de su mente. Pero el gólem volvió la cabeza hacia ella, en un movimiento tan natural, tan real, que la muchacha reconoció que ni en sus sueños más locos habría sido capaz de imaginar algo así.

—Por el amor de la Diosa, mírate —le reprochó—. Sólo eres una bola de nieve gigante con cabeza, piernas y brazos. Tendrías que ser incapaz de moverte. Deberías caerte en pedazos al primer golpe. Y tampoco deberías estar mirándome. ¡Si ni siquiera tienes ojos!

El gólem de nieve no pareció ofendido ante sus observaciones. Se giró de nuevo hacia el horizonte, dándole la espalda, y Bipa entendió que quería mostrarle algo. Con un suspiro resignado, avanzó cojeando hasta llegar a su altura y se asomó por encima de la loma. Lo que vio la dejó muda de horror.

Los perseguía un ejército de cientos de golems de hielo. Y al frente de todos ellos, montada sobre otro gigantesco gólem en forma de lagarto, estaba Gélida.

Bipa se dio la vuelta, angustiada. Ante ellos se abría una larga garganta encajonada entre dos montañas interminables. Nunca llegarían al otro lado. No había ningún lugar donde esconderse. En cuanto salieran del abrigo de la roca, sus perseguidores los verían. Y si se quedaban allí, los encontrarían de todos modos.

La muchacha cerró los ojos y sacudió la cabeza, tal vez para aclarar sus ideas, tal vez para despertar de aquella horrible pesadilla. Pero cuando los abrió de nuevo, todo seguía igual. Desalentada, tomó el Ópalo entre las manos. «¿Cómo es posible que algo tan pequeño tenga tanta importancia?», se preguntó. Ciertamente, la tenía para Maga y el resto de habitantes de las Cuevas. El Ópalo era el símbolo del poder de la chamana, del poder de la Diosa, y ayudaba a Maga a curar a la gente. Pero Gélida ya tenía uno. ¿Por qué enviar tras ella a todo un ejército de seres de hielo para arrebatarle el suyo?

—¿Y si se lo doy? —reflexionó en voz alta—. Sería terrible perderlo, pero supongo que Maga entenderá que no tengo otra opción. Tal y como están las cosas, si no se lo entrego, igualmente lo arrebatarán de mi cadáver, así que...

No tuvo tiempo de terminar. De pronto, el gólem se abalanzó sobre ella, sepultándola bajo una montaña de nieve.

Bipa trató de liberarse, pero la criatura era grande y consistente, y la joven no consiguió salir a la superficie. Gritó y protestó, mientras el frío iba calando en todos sus huesos; cuando oyó, sin embargo, la voz de Gélida repartiendo órdenes entre sus tropas, mucho más cerca de lo que habría deseado, se quedó inmóvil por fin, atenta, tiritando. El cuerpo del gólem de nieve, comprendió entonces, la protegía y la ocultaba de miradas hostiles. Si la criatura se quedaba quieta, completamente quieta, como ahora, podía confundirse con el paisaje. Bipa aguardó, con el corazón latiéndole tan fuerte que sentía que se le iba a salir del pecho. Bajo su camisa, su otro corazón, el Ópalo de Maga, parecía latir también.

El ejército de Gélida desfiló junto a ellos. Bipa pudo oír claramente el crujido de sus miembros de hielo, sus pasos rechinando sobre la estepa nevada, todos al mismo compás.

Tardaron una eternidad en pasar.

Y sólo cuando ya no se les oía, cuando su marcha no resultaba más que un leve murmullo ahogado por el gemido del viento..., sólo entonces se levantó el gólem de nieve, liberando a Bipa de su incómoda prisión.

Para entonces ella ya estaba lívida de frío. Lo miró, aturdida, sin terminar de entender lo que estaba sucediendo. Tenía los labios amoratados y sus dientes castañeteaban tan fuerte que temió morderse la lengua. Trató de levantarse, pero sus pies no le respondían. Cogió la mochila con torpeza y lo intentó de nuevo, hasta que consiguió caminar unos pasos. Después hizo los ejercicios que los adultos de las Cuevas recomendaban a sus hijos en casos como aquél: movimientos de brazos y piernas, cuello y dedos.

Tras unos momentos de angustia, lentamente la circulación llevó sangre cálida a todos los rincones de su cuerpo.

En todo aquel tiempo, el gólem permaneció en pie junto a ella, impasible, y sólo reaccionó cuando Bipa dijo:

—Tenemos que irnos —y echó a andar, cojeando, pero no a través de la garganta por donde habían ido Gélida y los suyos, sino a lo largo de la cadena de montañas, buscando alguna otra abertura.

El gólem la siguió.

A pesar del frío, el hambre, el cansancio y el dolor, Bipa caminó durante todo el día. Al caer la noche encontró un refugio en una cueva oculta tras unas rocas, lo bastante apartada como para sentirse segura, y allí encendió un fuego.

Cuando la llama calentó su cuerpo y devolvió la esperanza a su corazón, Bipa sonrió. Luego echó un vistazo al gólem, que la aguardaba fuera.

—Me has salvado la vida —le dijo—, y todavía no sé por qué. Creo que lo menos que puedo hacer a cambio es darte un nombre.

El gólem no reaccionó. Probablemente le daría lo mismo que ella lo llamara de una manera o de otra, pero Bipa necesitaba nombrarlo, necesitaba darle una identidad para dejar de pensar en aquella criatura como en un montón de nieve contrahecho. Tenía voluntad, y tenía cierta inteligencia. Debía tener un nombre.

La joven reflexionó durante largo rato.

—Creo que te llamaré Nevado —dijo por fin, satisfecha.

Era consciente de sus propias limitaciones. Sabía que nunca había tenido demasiada imaginación.

La Diosa le sonrió al día siguiente, porque, tras media mañana de marcha, llegaron a un pequeño valle que partía las montañas. Bipa intuía que Aer habría tomado el camino del desfiladero; era la opción más rápida desde el palacio de Gélida. Pero lo importante era que iban a cruzar las montañas de todos modos, y que Gélida no los había encontrado aún.

Bipa y Nevado exploraron el valle, en busca de comida y refugio. Encontraron un pequeño embalse cuya superficie estaba cubierta por una capa de hielo. Pero eso no fue obstáculo para la joven. Abrió un boquete en su superficie —le sorprendió ver que el hielo no era tan grueso como había supuesto—, sacó su sedal y algo de cebo de la mochila, y se dispuso a pescar.

Al caer la tarde había atrapado dos peces blanquecinos y resbaladizos, de aspecto muy poco apetitoso. A Bipa no le importó. Tenía tanta hambre que, una vez que los hubo asado al fuego, se los comió enteros, masticando incluso las espinas.

No le sentaron demasiado bien; pero la sensación de tener el estómago lleno compensaba cualquier sufrimiento.

Al día siguiente prosiguieron la marcha. Bipa estaba de mejor humor. Ya casi no cojeaba, había cenado la noche anterior y seguían sin tener noticias de Gélida.

Sin embargo, su optimismo se esfumó cuando vio que el valle se estrechaba. Se le cayó el alma a los pies. Si no tenía salida, si no podían cruzar al otro lado por allí, se verían obligados a volver sobre sus pasos, hasta el desfiladero donde habían burlado a Gélida, con el consiguiente riesgo de toparse con ella otra vez.

Pero Bipa, obstinada, continuó la marcha hasta que las montañas se cerraron del todo.

Por fortuna, había una manera de seguir adelante. La vio desde lejos, pero necesitaba asegurarse, de modo que se aproximó mucho más, con precaución.

Era una puerta.

Conducía a un largo túnel que se hundía en las entrañas de la roca y se perdía en la tiniebla.

La puerta era gigantesca, imponente, y se componía únicamente de lo que parecían dos enormes carámbanos de hielo entrecruzados, formando el vértice de un ángulo que apuntaba al cielo. Cuando Bipa se acercó a examinarlos descubrió, sin embargo, que estaba equivocada con respecto a su composición. Eran blanquecinos, sí, y translúcidos, pero no eran carámbanos de hielo, sino enormes prismas de un material que Bipa reconoció enseguida. Para asegurarse, extrajo de debajo de su camisa uno de sus colgantes; no el Ópalo de Maga, sino el otro, el regalo de Aer.

—Cuarzo —murmuró.

Pero qué pedazos de cuarzo. Eran muchísimo más grandes, puros y perfectos que el triste fragmento que ella portaba. Se entrecruzaban sobre su cabeza, como inmensos obeliscos facetados, apoyados sobre el rostro de la montaña, invitándola a pasar bajo el arco que formaban para adentrarse en el túnel.

—Mañana —decidió ella.

Acamparon al pie de la puerta. A pesar de su descubrimiento, Bipa no estaba demasiado impresionada. El cuarzo no se podía comer, y ella tenía hambre otra vez.

No había demasiadas cosas vivas en aquel valle, aunque parecía algo más cálido que los dominios de Gélida. Aquí y allá, la nieve se retiraba, descubriendo debajo un suelo gris cubierto por un resbaladizo musgo blancuzco. Bipa encontró además unas plantas bulbosas refugiadas en las oquedades de la roca. Eran blancas, de un blanco sucio, desvaído, como si hubiesen perdido el color. También entre las rocas correteaban unos bichitos paliduchos y de muchas patas.

La muchacha no podía permitirse el lujo de ser selectiva. Hizo una sopa con todo ello, y eso fue lo que desayunó.

Después recogió sus cosas, sacó una tea de su mochila y la prendió en la hoguera. Nevado retrocedió un paso.

—Puedes quedarte aquí, si quieres —le dijo Bipa—. Aunque el túnel es lo bastante espacioso para ti, comprendo que no tengas muchas ganas de entrar. Yo tampoco —le confió—, pero he de hacerlo. No es una simple cueva, ¿sabes? Lleva a algún sitio. Nadie se molestaría en poner una puerta tan grande en la boca de un túnel que no conduce a ninguna parte.

Dicho esto, respiró hondo, alzó la antorcha en alto y pasó por debajo de los enormes prismas de cuarzo. Oyó un suave crujido tras ella, y supo que Nevado la seguía, a una prudente distancia. Se adentró en el túnel, con precaución.

La escena que encontró en el interior era aún más asombrosa que la ciclópea puerta. La caverna entera albergaba un bosque de cristales de cuarzo, enormes, simétricos, y todos ellos reverberaban con un resplandor blanquecino cuando la luz de la antorcha los alcanzaba. Aún sin salir de su asombro, Bipa se abrió paso entre aquellos colosos minerales, trepando por unos y deslizándose por debajo de otros. Los prismas de cuarzo ocupaban casi toda la sala, horizontales, verticales, inclinados, entrecruzados, en racimos, colgando del techo... Bipa buscaba caminos entre ellos y Nevado la seguía fielmente, y los rostros de ambos se veían apenas reflejados en las facetas translúcidas del cuarzo, que parecía contemplarlos, con cientos de ojos, desde su milenario refugio en el corazón de la roca.

La travesía fue larga y difícil, y en ocasiones peligrosa. A menudo, Bipa tenía que caminar por encima de los cuarzos resbaladizos, que tendían puentes traicioneros sobre el fondo irregular de la cueva. Estuvo a punto de caer en alguna ocasión; y, de haberlo hecho, habría aterrizado sobre un lecho de afiladas agujas.

Bipa se detuvo un momento, jadeante, a esperar a Nevado, que se había quedado atrás. Deslizó un dedo por la superficie, pulida y perfecta, de uno de los cristales de cuarzo. Había visto cosas parecidas en las profundidades de los túneles de su hogar, pero nunca tan grandes, ni tan cerca de la superficie. Aquellos prismas parecían la obra de algún arquitecto genial; y, sin embargo, eran formaciones naturales, moldeadas por la mano de la Diosa.

«Pero alguien tuvo que colocar esos dos en la entrada, a modo de puerta», se dijo Bipa.

Por fin, llegaron al otro lado, para alivio de la joven. Detectó un rayo de luz y avanzó hacia él. Se deslizó por una de las caras de un cristal de cuarzo para llegar hasta otra puerta, pero ésta no estaba flanqueada por dos prismas cruzados, sino por dos golems de cuarzo, de rasgos burdos, apenas esbozados. No se movieron cuando Bipa se acercó a ellos. Ni siquiera la miraron ni reaccionaron de ninguna forma ante la presencia de los intrusos. Parecían muertos, abandonados, como el gólem de nieve cuando Bipa lo encontró. De todos modos, ella se abstuvo de tocarlos. Despacio, con precaución, pasó entre ellos y cruzó la puerta de salida. Nevado la siguió.

VIII

En la Ciudad de Cristal

Desembocaron en una estrecha garganta al aire libre —Bipa respiró hondo, aliviada, y apagó la antorcha—, flanqueada por altas paredes rocosas. Frente a ella, sin embargo, comenzaba un camino de extraña apariencia. Parecía hielo, pero mucho más puro y delicado. Bipa se dejó caer de rodillas sobre el suelo y palpó la pulida superficie. Definitivamente, no era hielo. No estaba tan frío, y no se derretía al calor de su mano. Aquello sólo podía ser cristal, un cristal tan precioso y perfecto como el de la flor que Aer le había regalado.

Inquieta, Bipa dio unos pasos, con precaución. Cuando comprobó que el suelo no se quebraba bajo su peso, ni tampoco bajo el de Nevado, avanzó con más seguridad. Y así siguió recorriendo el camino de cristal hasta el final.

Y el final era una tercera puerta. La joven se detuvo ante ella, y Nevado la imitó.

La puerta estaba flanqueada por dos gigantescas torres de cristal, de mayor pureza que los prismas de cuarzo, casi completamente transparentes y talladas en aristas y volutas caprichosas. Rematada cada una de ellas por una aguja en espiral, estaba claro que ambas torres, éstas sí, habían sido construidas por manos humanas o, al menos, por manos guiadas por un ser inteligente. En el centro de cada torre había una esfera de un material diferente, opaco, recubierto por una película blanquecina. Parecían ventanas, pero Bipa no apreció postigos ni escaleras en las torres, ni signo alguno de que estuviesen huecas por dentro y se pudiese entrar en su interior. Eran sólo dos inmensos monolitos de cristal, con la única salvedad de aquellas esferas engastadas en ellos.

Bipa se acercó un poco más; no había nada aparte de las dos construcciones. Tampoco veía a nadie.

Sobrecogida, siguió caminando por la senda, que pasaba justo por medio de ambas torres.

Y entonces, cuando aún le faltaban cincuenta pasos para alcanzarlas, las esferas reaccionaron, y las persianas se alzaron. Bipa dejó escapar un grito de terror. No eran esferas. No eran ventanas.

Eran ojos.

Aquellas dos torres servían de soporte a un par de ojos gigantescos, cuya pupila parecía una enorme gema de múltiples facetas; dos ojos inhumanos e imposibles que giraron un instante en sus órbitas de cristal y después se clavaron en Bipa, bizqueando un poco para poder verla mejor.

La chica estaba paralizada de miedo. Buscó la mano de Nevado y se aferró con fuerza a uno de sus fríos dedos, pero no fue capaz de avanzar ni de volver sobre sus pasos. Se quedó mirando los ojos, y los ojos, cada uno desde su torre de cristal, la miraron a ella, con atención.

Con mucha atención.

Pero aparte de eso, durante un buen rato no sucedió nada más.

Poco a poco, Bipa fue tranquilizándose en la medida de lo posible. Aún de la mano de Nevado, avanzó un poco más.

Nada ocurrió.

Avanzó otro paso, y después, otro más. Se detuvo, alerta, cuando vio que los ojos la seguían con la mirada. Permaneció inmóvil, con el corazón a punto de salírsele del pecho, pero los ojos se limitaron a continuar observándola.

Lo intentó de nuevo.

Caminó lentamente, un paso, y otro paso, y otro más, seguida por el gólem de nieve. Los ojos se movieron en sus órbitas para no perderla de vista.

Bipa siguió caminando, temblando de miedo. Llegó hasta la misma base de las torres. Los ojos bizquearon todavía más para poder mantenerla en su campo de visión, pero no hicieron otra cosa, ni entonces, ni cuando Bipa y Nevado franquearon la línea delimitada por las dos torres. La joven avanzó, poco a poco, hasta dejarlas atrás. Oyó un leve crujido y, tras una breve lucha contra el pánico, se atrevió a volverse.

Los ojos habían girado en sus órbitas y se habían asomado por la otra cara de las torres para vigilarla mientras se iba. Pero se limitaban a observarla, por lo que Bipa respiró hondo y continuó caminando, sintiendo clavada en su espalda aquella monstruosa mirada.

No se detuvo hasta que el camino la llevó tan lejos de aquellos ojos que era imposible que pudieran verla. Entonces echó un vistazo por encima de su hombro y comprobó, aliviada, que las torres quedaban ya muy atrás, y que un recodo las ocultaba.

Ante ella, no obstante, se abría un nuevo desafío: cuando la niebla se disipó un poco, descubrió un horizonte erizado de atalayas de cristal similares a las que acababa de dejar atrás. O al menos, ésa fue su primera impresión. Porque, cuando se acercó más, se dio cuenta de que no eran sólo torres, sino también pináculos, arcos, tejados y cúpulas. Toda una ciudad de cristal se extendía ante ella, purísima, hermosa en su límpida fragilidad.

Y cuando llegó a sus puertas, talladas en cristal con una simetría perfecta y una belleza sin igual, Bipa encontró que estaban abiertas para ella. Porque había un grupo de gente esperándola.

Se asemejaban a Gélida. Eran altos y esbeltos, o quizá sólo parecían más altos porque eran muy esbeltos. Tenían la piel blanca, blanquísima, tanto que, si se fijaba bien, Bipa podía distinguir las venas que circulaban por debajo. Y sus cabellos también eran inmaculadamente blancos y finos, tan finos como hilos de tela de araña. Y sus ojos...

Sus ojos eran extraños, de iris similares a cristales líquidos, de colores desvaídos, como desgastados. No parecían ojos humanos y, sin embargo, miraban a Bipa con un destello de inteligencia. Bipa no pudo evitarlo. Se sintió sucia y torpe junto a aquellas personas gráciles de semblante apacible. De modo que se quedó quieta, sin decir nada, y Nevado permaneció a su lado, inmóvil. También él era deforme y grotesco comparado con los delicados y esbeltos golems de cristal que acompañaban al grupo.

Y en aquel momento, cuando Bipa ya estaba pensando seriamente en dar media vuelta y regresar por donde había venido, una de las personas blancas se adelantó. El hombre no tenía nada especial, nada que lo diferenciase de los demás, excepto una gema que llevaba engarzada en una diadema de cristal que ceñía su frente. Salvo por el color, que era, naturalmente, blanco, la piedra era idéntica al Ópalo de Bipa.

Ella procuró no fijarse demasiado en la diadema. Había guardado su propio Ópalo bajo la ropa, ocultándolo de miradas curiosas, mucho antes de alcanzar las puertas de aquel insólito y hermoso lugar.

—Bienvenida, joven opaca —dijo el hombre de la diadema, y sus palabras tenían la sutilidad de la niebla y la ligereza del aire—. Soy el Señor de la Ciudad de Cristal. Nosotros, los cristalinos, te acogemos en nuestro hogar, tan sólo una etapa más en tu camino hasta el palacio de la Emperatriz.

Por fin, Bipa fue capaz de hablar:

—¿Cómo... cómo sabes que voy al palacio de la Emperatriz?

Los inexpresivos rasgos del Señor de la Ciudad de Cristal mostraron una extraña sonrisa.

—Porque no hay ningún otro lugar adonde ir. Pero no temas; tú ya has descubierto el verdadero Camino y ya has empezado a Cambiar —pronunció la última palabra con un tono especial, anhelante y a la vez un tanto siniestro, que hizo estremecer a Bipa.

—No, yo... veréis, no quiero cambiar. Sólo estoy buscando a alguien. Alguien... como yo. Un chico que se fue de casa hace tiempo. Era...

Pero el Señor de la Ciudad de Cristal ya no la escuchaba.

—¿No quieres Cambiar? Por tu aspecto entiendo que aún no has contemplado el esplendor de la Estrella de la Emperatriz en toda su magnificencia. ¿Cómo es posible que Gélida nos haya mandado a alguien como tú?

Bipa retrocedió un par de pasos, con cautela.

—Bien, en realidad no me ha enviado Gélida. He venido por mi cuenta, pero no quiero causar molestias. Buscaré a mi amigo Aer y, si no está en la ciudad, seguiré mi camino... Sólo pido que nos acojáis a mí y al gólem que me acompaña una noche o dos, a lo sumo... Es cierto que yo estoy cansada y hambrienta, pero Nevado no come ni duerme, y es muy discreto, no molestará...

Bipa calló de pronto, dándose cuenta de que sus palabras no hacían sino empeorar la situación.

—¿Pretendes que dejemos entrar a «eso» en nuestra ciudad? —señaló uno de los llamados cristalinos.

—No veo por qué no —replicó Bipa—. Ya he dicho que no molesta. Claro que puede quedarse aquí fuera, seguro que no le importará, pero, en cualquier caso...

—Mi señor —interrumpió uno de los hombres de la Ciudad de Cristal—, no podemos acogerla porque ha eludido varias etapas. No está Caminando como es debido.

—¿Y cómo debería estar caminando? —intervino Bipa, perpleja—. ¿De espaldas? ¿A la pata coja?

Nadie hizo ningún comentario al respecto, pero a la muchacha le pareció que los rostros de las personas blancas ya no se mostraban apacibles, sino peligrosamente severos.

—Para llegar al palacio de la Emperatriz —dijo el Señor de la Ciudad de Cristal con suavidad— debes seguir el Camino y debes Cambiar con él. Todos nosotros fuimos en el pasado opacos, como tú, pero seguimos el Camino, y el Camino nos trajo hasta aquí. Todos deben evolucionar para llegar a la siguiente etapa. Si tú no lo haces, nunca podrás llegar. Y si no puedes pasar a la siguiente etapa, no alcanzarás tampoco a tu amigo, el muchacho opaco que estás buscando; pues él llegó hace tiempo y se marchó porque ya estaba preparado. En cambio, tú no lo estás, así que no se te permitirá pasar de aquí.

Y, una a una, aquellas personas de albos cabellos y rostros blancos le dieron la espalda y volvieron a entrar en la Ciudad. Los golems de cristal las siguieron, y Bipa advirtió que caminaban lenta y pesadamente, como si estuviesen terriblemente cansados. El último fue su señor. Se quedó mirando a Bipa un instante mientras ella trataba de asimilar todo lo que le había dicho.

—Los Ojos me han engañado esta vez —comentó él—. Me pareció que avanzabas con el valor y la determinación de un Caminante, como el muchacho que vino antes que tú. Pero no eres una Caminante. Apenas has Cambiado. Si no tienes deseos de ver a la Emperatriz, ¿qué es lo que te mueve? ¿Cómo has podido llegar hasta aquí?

—No quiero cambiar —insistió Bipa, sin contestar a la última pregunta—. No siento deseos de ver a la Emperatriz, pero, si he de seguir a Aer hasta su mismísimo palacio, ella tendrá que verme tal y como soy. Y si no le gusto, mala suerte. Esto es lo que hay.

El Señor de la Ciudad de Cristal esbozó una breve sonrisa.

—Pequeña necia —murmuró—. Tú puedes Caminar y Cambiar. A mí no me está permitido. Y, sin embargo, rechazas la posibilidad de alcanzar la gracia de la Emperatriz... por propia voluntad.

»Tu obstinación será tu perdición, joven opaca. Porque si no sigues el Camino, no llegarás a ninguna parte y tampoco podrás reunirte con tu amigo. Él Cambió en apenas unos días y prosiguió el viaje hacia su destino. La Emperatriz lo llama con fuerza y con insistencia. Lo ha elegido a él y le ha dado la oportunidad de Cambiar muy deprisa, cuando a la mayoría de los habitantes de esta ciudad les cuesta mucho tiempo, años incluso, alcanzar el siguiente estadio. En cambio tu opacidad, muchacha, es absoluta e incluso insultante. Regresa con los tuyos. Jamás lograrás alcanzarlo. Él ya no está a tu nivel. Pertenece a la Emperatriz, y a su palacio no pueden llegar los opacos como tú. Abandona. Vuelve atrás. Regresa.

Y, con estas palabras, el Señor de la Ciudad de Cristal le dio la espalda. Bipa no tuvo fuerzas para detenerlo. Estaba demasiado cansada, demasiado desalentada. A través de un velo de lágrimas, vio cómo el Señor de los cristalinos traspasaba de nuevo las puertas de su ciudad. La muchacha se secó los ojos y volvió a mirar, y por un instante le pareció que las formas de los edificios de cristal se adivinaban a través del cuerpo de aquel hombre impasible, como si no estuviese hecho de carne, sino de algo translúcido como el cuarzo que pendía del cuello de Bipa. Pero no pudo compararlo, porque las puertas se cerraron tras él.

La chica se dejó caer en el suelo, agotada. Nevado se sentó junto a ella.

—Y ahora, ¿qué? —le confió al gólem—. Si tuviera fuerzas aporrearía esa puerta hasta que nos dejasen entrar. Pero no las tengo. Y tampoco me veo capaz de regresar a casa desde aquí, sola. Estoy demasiado lejos. Nunca tendría que haber partido en busca del imbécil de Aer. ¡Elegido! ¡Caminante! ¡Cambios! ¡Bah!

Sin embargo, no pudo evitarlo. Se echó a llorar en silencio, ocultando el rostro entre las manos. Nevado la contempló, sin moverse ni hacer ademán de acercarse a ella para consolarla.

Por fin, Bipa se calmó, aunque eso no disipó su hambre ni su cansancio. Alzó la cabeza hacia las despiadadas torres de la Ciudad de Cristal y dijo:

—Bien, no me importa saltarme etapas. No necesito que ningún señor de ninguna ciudad me diga si estoy o no preparada para continuar mi viaje.

Se levantó con esfuerzo, recogió sus cosas y, seguida por el gólem de nieve, reanudó la marcha, abandonando la senda y rodeando la alta muralla de la Ciudad de Cristal. Esperaba poder retomar el camino al otro lado, pero pronto tuvo que reconocer que era más complicado de lo que había imaginado, y que el itinerario correcto era el que llevaba por el centro de la Ciudad.

Porque ésta se alzaba en el fondo de una hondonada, incrustada entre las laderas de una montaña escarpada cuya superficie no era rocosa, sino cristalina. Letales agujas de cristal, afiladas como cuchillas, alfombraban el suelo; las pocas extensiones de terreno liso eran también de cristal, tan resbaladizo que resultaba casi imposible avanzar sobre él.

Bipa no se rindió. Con absurda obstinación, siguió avanzando, buscando caminos en la falda de la montaña cristalina, aferrándose con las manos a las agujas de cristal cuando sus pies resbalaban, y dejándose sangre y piel en sus incisivas aristas.

Cuando alzó la cabeza para mirar hacia delante, suspiró desalentada. El camino a recorrer era muy largo todavía. Buscando huecos entre los cristales había llegado muy alto, casi hasta la cima de la montaña, y la Ciudad se veía con claridad a sus pies. Edificios de cristal, calles de cristal... talladas por sus habitantes en la larga espera del Cambio. Y, a pesar de su belleza, aquella urbe era tan sólo un hogar temporal para muchos de ellos. A Bipa le pareció muerta, fría y vacía. Y por un instante se alegró de no haber entrado. Sólo por un instante. Porque luego volvió a contemplar el trecho que le faltaba, erizado de aristas, pinchos y agujas de cristal. Se miró las palmas de las manos, desolladas, ensangrentadas. «No podré llegar hasta el final sin perder un par de dedos —comprendió—. O algo mucho peor.»

Se giró entonces hacia Nevado, que la seguía. Y lanzó una pequeña exclamación horrorizada.

El gólem de nieve había elegido exactamente el mismo camino que ella, se había aferrado a las mismas aristas y había tropezado en los mismos sitios. Y cada golpe, cada arañazo, cada punzada, había arrancado algo de nieve de su cuerpo, por lo que ahora parecía mucho más informe que antes. Si se caía, las espinas de cristal lo destrozarían por completo.

Bipa maldijo interiormente aquel lugar y le gritó a Nevado:

—¡Espera! ¡Espera, no sigas! ¡Detente!

El gólem la obedeció. Bipa retrocedió hasta él, con infinitas precauciones. Cuando lo alcanzó, asentó bien los pies y trató de recomponer su cuerpo, rellenando los huecos y repartiendo la nieve de la superficie de la manera más uniforme. Se dio cuenta de que estaba dejando un rastro de sangre sobre su piel de escarcha; pero a Nevado no parecía importarle y, por otro lado, el frío de la nieve calmaba el dolor, por lo que continuó de todos modos, hasta que el gólem recuperó su aspecto habitual. Bipa lo observó con aire crítico.

—Pareces un poco más maltrecho que antes —le dijo—. Pero sólo un poco.

Nevado inclinó la cabeza pero, como de costumbre, no dijo nada. Con un suspiro satisfecho, Bipa se dio la vuelta para proseguir su camino...

... Pero perdió el pie, resbaló y cayó, precipitándose sobre las mortíferas agujas de cristal. No tuvo tiempo ni de gritar antes de que dos de ellas, punzantes como dagas, perforasen su cuerpo.

Recuperó la conciencia cuando un torrente cálido recorrió sus venas, despertando sus sentidos y calmando su dolor.

Al abrir los ojos vio ante sí al Señor de la Ciudad de Cristal. Trató de hablar, pero no fue capaz.

—Vaya, veo que has despertado —dijo él, y Bipa sonrió sin poder evitarlo. Había algo en la voz de aquel hombre, ternura, calidez o simplemente humanidad, que la consolaba y la hacía sentir mucho mejor. Tenía la impresión de que no había oído una voz amistosa desde su partida de las Cuevas, y aquello había ocurrido mucho tiempo atrás. No... aquél no podía ser el mismo hombre que le había cerrado sus puertas por razones que Bipa aún no acertaba a comprender del todo. Cuando él se acercó de nuevo a examinar sus heridas —Bipa supuso que estaba herida, porque sentía un fiero dolor en un hombro y en la pierna derecha—, lo observó con mayor atención.

Sí, era él, el Señor de la Ciudad de Cristal. Sólo que el Ópalo de su diadema ya no era blanco, sino rojo y refulgente, igual que el de Bipa.

La muchacha lanzó una exclamación al verlo. Quiso incorporarse, pero él no la dejó.

—Quieta. Cada cosa a su tiempo.

Y entonces, colocó las manos sobre sus heridas, y el Ópalo relució de nuevo, con la fuerza del corazón de una hoguera, y su poder se transmitió del cuerpo de su portador al de Bipa a través de sus palmas, de sus dedos... Bipa cerró los ojos mientras sus heridas empezaban a sanar lentamente.

—Llevará un tiempo —le aseguró su salvador—, pero te curarás. Por fortuna, te encontré antes de que fuera demasiado tarde. ¿Cómo se te ocurrió pasearte por la montaña así, sin más? Es una trampa mortal.

—¿Que cómo... se me ocurrió...? —pudo decir Bipa—. ¡Tú me cerraste la puerta de la ciudad en las narices!

El hombre se detuvo entonces y la miró con ojos amables.

—Me temo que me confundes con otro. Por tus palabras deduzco que ya conoces al Señor de la Ciudad de Cristal, mi hermano. Yo soy el Maestro Cristalero; pero puedes llamarme Lumen.

Bipa abrió mucho los ojos.

—¿Eres hermano de ese tipo estirado de la ciudad? ¡Pero si sois idénticos!

—Somos gemelos —sonrió el Maestro Cristalero.

—Gemelos —repitió Bipa, reflexionando—. Debería haberlo supuesto. Aunque seáis iguales por fuera, en el fondo sois muy diferentes. Tú eres muy amable, y tu hermano, un tipo muy grosero...

Calló enseguida, en cuanto se dio cuenta de lo que había dicho, y lo miró con cautela, temiendo haberle ofendido. Pero el Maestro Cristalero se echó a reír.

—Tienes que disculpar a mi hermano —dijo—. Hace mucho que entregó su corazón a la Emperatriz y ya no es capaz de sentir afecto o compasión. En el fondo es digno de lástima.

Bipa pensó que ella, desde luego, no le tenía ninguna lástima, pero se mordió la lengua y no hizo ningún comentario al respecto. Con un suspiro, se recostó sobre el lecho y miró a su alrededor.

El entorno le resultaba a medias extraño y a medias familiar. El hogar del Maestro Cristalero estaba ubicado en una espaciosa cueva, cálida y acogedora, como lo era la propia casa de Bipa. Pero sus muebles, paredes y rincones estaban repletos de objetos raros y a la vez bellísimos, todos tallados en cristal multicolor, todos lanzando destellos que brillaban al son de las llamas del alegre fuego que ardía en la chimenea. Aquello era parecido a la colección de Gélida pero mucho mejor, porque los cristales mostraban vivas y variadas tonalidades: rojos, verdes, azules, anaranjados, violáceos... Y había flores cuya belleza hacía palidecer a la que Bipa había dejado en casa. Y criaturas, animales que Bipa conocía, y otros que no, y miniaturas de personas, y escenas enteras talladas en cristal, y vasijas, botellas de todas las formas y colores, platos, jarras...

—Tú... ¿has hecho todo esto? —preguntó Bipa, maravillada.

Lumen sonrió.

—Todo esto y mucho más. Cuando estés del todo recuperada te mostraré mi taller. Esto son sólo los objetos de la habitación de invitados —añadió, con cierta modestia.

Bipa no pudo evitar preguntar:

—¿Y para qué sirven?

—En su mayoría, para nada concreto. Pero son hermosos, y su contemplación produce una curiosa sensación en el pecho... ¿no la notas?

—Sí —dijo Bipa—. Es agradable —y sonrió.

—¿Lo ves? Estas cosas sirven para hacerte sonreír cuando las miras.

Bipa sonrió otra vez. Quiso incorporarse para ver mejor aquellos objetos destellantes, pero Lumen no se lo permitió.

—Tienes que descansar. Todavía estás débil.

—Tú me has curado —murmuró la joven, recostándose de nuevo— de la misma forma que lo hacía Maga, con un Ópalo, uno de verdad... un Ópalo vivo —y, siguiendo un impulso, le mostró el suyo—. Éste me lo dio Maga, la chamana —le explicó—. Dijo que me protegería, pero la verdad es que me ha dado muchos problemas. Gélida intentó arrebatármelo, aunque ella ya tiene uno.

—El de Gélida perdió poder mucho tiempo atrás, igual que el de mi hermano —dijo Lumen con gravedad—. Se han desgastado debido al uso indiscriminado que se les dio. Los dones de la Diosa no son inagotables. Y ellos los han utilizado de forma equivocada.

Bipa tuvo miedo, de pronto, de haber estado usando el Ópalo de forma equivocada, como decía el Maestro Cristalero. ¿Qué ocurriría si se le gastaba? ¿Con qué cara se lo devolvería a Maga?

—¿Cuál es la forma correcta de usarlos? —quiso saber.

Lumen sonrió.

—Hablaremos de eso más tarde —dijo—. Ahora tienes que dormir.

Bipa sonrió también y dejó que el Maestro Cristalero la arropara. Se dejó llevar por la suavidad del lecho, por el calor de la hoguera y, sintiéndose cómoda y segura por primera vez en mucho tiempo, se quedó dormida.

IX

El Maestro Cristalero

La despertó un delicioso olor a estofado que le hizo la boca agua. Abrió los ojos, sonriendo, esperando encontrarse en casa y ver a Topo junto al hogar. Pero removiendo el puchero no estaba su padre, sino un hombre alto y delgado, de piel blanca y cabello albo, cortado a la altura de los hombros: el Maestro Cristalero.

Ahora que lo observaba con atención, descubrió otras diferencias con su hermano, el Señor de la Ciudad de Cristal, además de su carácter o el color de su Ópalo. Lumen vestía ropas de piel, como la propia Bipa, ropas cuya función era proteger del frío, ropas diferentes a los livianos vestidos semitransparentes que usaban aquellas personas llamadas cristalinos.

Aun así, Bipa se percató de que, cuando Lumen se situaba a contraluz, con el fuego tras él, podía ver el resplandor de la hoguera a través de sus manos y de su cabeza. Eso la alertó y le recordó que, pese a su hospitalidad y simpatía, el Maestro Cristalero era «uno de ellos», una de las extrañas criaturas que habitaban en la Ciudad de Cristal.

En aquel momento su estómago emitió un sonoro quejido, y Bipa fue incapaz de pensar en nada que no fuera comestible. Lumen se volvió hacia ella.

—Vaya, veo que te has despertado.

—Ese olor resucitaría a un muerto.

—¿Tienes hambre?

—¿Bromeas? Ya no recuerdo cuándo fue la última vez que tomé una cena que fuese digna de tal nombre —Bipa olisqueó en el aire—. ¿Cómo te las arreglas para que huela tan bien? ¿Qué le has echado al puchero?

—Es estofado de carne —dijo Lumen con sencillez, sirviéndole una ración en una escudilla de barro.

Bipa se quedó de piedra.

—Bromeas —soltó—. No hay casi nada vivo ahí fuera. A no ser que cocines a los de la ciudad, y sinceramente, no estoy segura ni de que tengan sangre en las venas...

Se interrumpió de nuevo al recordar que Lumen tenía el mismo aspecto que ellos, pero él no pareció darse por aludido.

—Ahí arriba, no. Pero el subsuelo está lleno de vida. Los túneles son el refugio de las últimas criaturas vivas nacidas de las entrañas de la Diosa. Y por eso ahora buscan su corazón, tratando de sobrevivir.

—Hablas igual que Maga —opinó Bipa, con los ojos fijos en el plato de estofado que estaba llenando Lumen—. Casi me parece estar en casa de nuevo. Sólo que tú eres muy blanco y tu casa está llena de cosas raras que no sirven para nada, pero, por lo demás...

Se calló cuando el Maestro Cristalero le ofreció por fin el ansiado plato. Bipa lo tomó con manos temblorosas y comenzó a comer con voracidad.

—Despacio, despacio, o te atragantarás —la reconvino Lumen, tendiéndole un vaso de agua.

Bipa dio buena cuenta del estofado, casi con lágrimas en los ojos, y cuando terminó de rebañar la escudilla volvió a tendérsela a su anfitrión y le preguntó, con cierta timidez:

—¿Podría repetir?

—Por supuesto —sonrió Lumen, llenándole el plato de nuevo—. Pero come más despacio. Llevas mucho tiempo en ayunas y tu estómago se ha vuelto pequeño. No debes forzarlo.

—Gracias —dijo Bipa con énfasis—. Muchísimas gracias.

Siguió comiendo, esta vez con un poco más de calma. El Maestro Cristalero la contempló con una sonrisa.

—Es bueno que tengas hambre. El chico que estuvo aquí antes que tú no quiso comer nada —movió la cabeza, preocupado—. Mal asunto.

Ella dejó de comer inmediatamente.

—¿Un chico? —repitió—. ¿Cómo era?

Lumen se encogió de hombros.

—Como todos. Un loco lleno de sueños imposibles, hechizado por el aura de la Emperatriz.

—Pero, ¿qué aspecto tenía? —insistió Bipa.

—Pues... — Lumen reflexionó—. Tenía el cabello rubio, tan rubio que era casi blanco. Y sus ojos brillaban con la claridad del diamante. La piel pálida, muy pálida, y un rostro tan serio que parecía que jamás hubiese anidado en él una sola sonrisa.

Bipa cerró los ojos. Por su memoria, fugaz, cruzó el recuerdo de la pícara sonrisa de Aer, que traía locas a todas las chicas de las Cuevas. El muchacho había sido de cabello claro, pero no rubio. Sólo un poco más claro que el de la mayoría de las personas de las Cuevas, que lo tenían entre negro y castaño oscuro, lo mismo que sus ojos.

—Ése no era Aer —murmuró.

—Y, sin embargo, dijo llamarse así —apostilló el Maestro Cristalero.

Bipa respiró hondo.

—No es posible —murmuró—. No puede haber cambiado tanto.

—Ah, pero ha de hacerlo si quiere llegar al palacio de la Emperatriz. Y él deseaba hacerlo, lo deseaba con toda su alma. Por eso ya no siente hambre, ni sed, ni duerme, ni experimenta frío ni calor. Y cuando se dio cuenta de que yo no podía darle lo que quería, abandonó este lugar y fue a pedir asilo a la Ciudad de Cristal. Y las puertas se abrieron para él.

Bipa suspiró y recostó la espalda en la pared.

—A este paso nunca podré alcanzarle —murmuró.

Reinó un silencio denso, pesado, sólo enturbiado por el crepitar de las llamas.

—Si te sientes con fuerzas —dijo entonces Lumen—, me gustaría enseñarte mi taller.

Bipa asintió. Dejó el plato a un lado y se levantó de la cama, dispuesta a seguirlo. Se detuvo en la puerta, sin embargo.

—Hay algo que he de preguntarte —le dijo—. Había alguien conmigo... Un gólem de nieve. Se llama Nevado, y me ha seguido desde los dominios de Gélida. Sabe cuidar de sí mismo, pero de todos modos me sentiré más tranquila si sé que está bien.

Lumen asintió.

—Lo encontramos a tu lado, entre los cristales. Bueno, lo que quedaba de él. Había saltado detrás de ti.

Bipa masculló una maldición por lo bajo.

—Por suerte sólo perdió un par de miembros —prosiguió Lumen—. Esme lo trajo de vuelta y ahora lo está recomponiendo. Es más fácil recomponer un gólem de nieve que uno de cristal —sonrió.

—¿Quién es Esme? —preguntó Bipa, desconfiada.

—La conocerás muy pronto. Ven, sígueme.

Bipa acompañó a Lumen a través de un estrecho corredor hasta una pequeña habitación que contenía un horno y un montón de herramientas que la joven no supo reconocer. Había muchos tubos de cristal, largos y finos, y un enorme barreño, y un gran mortero. Las paredes estaban ocupadas por estanterías repletas de vasos, jarras, botellas y boles de formas redondeadas y cilíndricas.

—Aquí es donde soplo el vidrio —le explicó Lumen—. Puedo hacer vasos muy hermosos, pero por lo general los hago sencillos, cuanto más finos y transparentes, mejor. Los envío a la Ciudad de Cristal —sonrió con cierta malicia—. Puede que mi hermano no quiera verme, pero aún necesita mis vasos.

—Creía que los habitantes de la Ciudad no necesitaban comer —dijo Bipa.

—Pero beben agua... todavía.

Pasaron a la siguiente sala, que era mucho más impresionante que la anterior. Estaba presidida por una enorme mesa sobre la que aparecían desparramados gemas y cristales de todas las formas y tamaños imaginables; algunos se hallaban a medio tallar, otros eran gemas en bruto, y todos se mezclaban sin orden ni concierto con utensilios que parecían formar parte de la colección de piezas de Lumen, pues estaban hechos de un material cristalino transparente y de gran pureza.

—Diamante —dijo Lumen—. El mineral más duro que existe. Así comenzó todo —añadió, abarcando con un amplio gesto todas sus creaciones, que abarrotaban los estantes de las paredes—. La gente peregrinaba hasta el palacio de la Emperatriz, pero muchos tenían que detenerse aquí antes de continuar. Descubrieron los cuarzos y empezaron a tallarlos. Y profundizaron en los túneles en busca de prismas cada vez más puros, y con ellos construyeron la Ciudad de Cristal. Las gemas más apreciadas eran los diamantes, debido a su pureza, a su brillo y a su resistencia. Sin embargo, las gemas o cristales coloreados eran desechados porque se apartaban del ideal de transparencia de nuestra gente.

Lumen calló un instante, pensativo. Bipa lo miró, interrogante, preguntándose adónde querría ir a parar, y qué tenía que ver todo aquello con Aer.

—Yo era muy joven cuando me enviaron a los túneles a buscar gemas —prosiguió el Maestro Cristalero—. Entonces, al igual que Lux, mi hermano, y que tantos otros, soñaba con ser algún día digno de llegar hasta la Emperatriz. Admiraba las cosas incoloras, transparentes, cristalinas. Pero todo ello me pareció pobre, incluso insignificante, comparado con la riqueza que encontré aquí abajo.

»Piedras de todos los colores. Gemas hermosísimas, rubíes, zafiros, amatistas, esmeraldas, topacios... cristales que mis manos ansiaban tallar, y que eran considerados desechos por mis semejantes.

»Empecé a trabajar con ellos en secreto. Aprendí a colorear el vidrio y el cristal para cuando las gemas me faltaban. Traté de deslumbrar a los demás con mi arte, que teñiría de color la Ciudad de Cristal y nos traería algo más de alegría, pero...

Calló de nuevo, con un destello de amargura en sus ojos cristalinos.

—Déjame adivinarlo: no les gustó —lo ayudó Bipa.

Lumen sonrió.

—Es una forma suave de decirlo. Me desterraron fuera de la Ciudad de Cristal y busqué refugio en los túneles, de donde continúo extrayendo cuarzos, gemas y cristales para seguir ejerciendo mi oficio, mi arte, mi pasión. Llevo aquí mucho más tiempo del que nadie podría contar. Al igual que mi hermano estoy atado a este lugar y al Ópalo que fue nuestra esperanza y nuestra maldición...

Bipa alzó la cabeza al oír mencionar el Ópalo. Lumen lo advirtió.

—Los encontré los dos juntos —relató—. Las dos gemas más bellas que había visto jamás. Incrustadas en el corazón de la roca, idénticas, perfectas. Eran opacas, de acuerdo. Y poseían ese furioso color rojo de la sangre, del fuego, de la vida. Con todo, eran tan hermosas que pensé que incluso a mi hermano, tan amante de las cosas puras y transparentes, le gustarían. Eran dos, eran iguales. Parecía que la Diosa nos las regalaba justamente a nosotros. Parecía una señal.

»En aquellos tiempos —añadió con nostalgia—, todavía se hablaba de la Diosa, no como ahora, que casi nadie la recuerda por aquí. Quizá por eso mi hermano me escuchó cuando fui a ofrecerle una de las gemas para hacer las paces. Al principio apreció el presente. Con él se convirtió en el Señor de la Ciudad de Cristal y mejoró la vida de cuantos allí habitaban. Pero pronto nos dimos cuenta de que era un cristal de doble filo. Porque el Ópalo frenó casi por completo su proceso de Cambio y, por otro lado, lo hizo imprescindible en la Ciudad al ser su portador... de modo que no podía abandonarla. Él, que había soñado toda su vida con ir al palacio de la Emperatriz, se veía obligado a permanecer en la Ciudad para siempre... y la vida de un portador del Ópalo es muy, muy larga. Varias generaciones de cristalinos han habitado en la Ciudad desde entonces. Miles de peregrinos han cruzado sus puertas y la han abandonado para ir al palacio de la Emperatriz. Pero Lux, el Señor de la Ciudad de Cristal, seguirá encadenado a ella. Es su privilegio y su responsabilidad. Su honor y su deber.

—¿Y no puede, simplemente, transferirle el Ópalo a alguien? —preguntó Bipa—. A mí Maga me dio el suyo. Sólo temporalmente, claro, pero si quisiera supongo que podría regalárselo a quien considere conveniente...

—Nuestros Ópalos son Ópalos gemelos. Él no puede deshacerse del suyo mientras yo conserve el mío. Y yo no lo voy a entregar a nadie.

—¿Por qué no?

—Por Esme —respondió Lumen solamente.

Bipa quiso seguir indagando, pero el Maestro Cristalero la miró con gravedad y le preguntó:

—¿Sabes para qué se usan los Ópalos, Bipa? ¿Sabes qué son?

Ella frunció el ceño.

—Hasta que partí de las Cuevas, ignoraba que hubiese más de uno. Sirven para curar a la gente. Para aliviarles dolores y enfermedades. Para que las plantas crezcan con más fuerza, para que los animales sean más resistentes y los niños nazcan sanos. Al menos —añadió—, ése era el poder de Maga. Nunca supe si era un poder propio de ella o se debía al Ópalo. Siempre ha sido, simplemente, Maga, la chamana. El Ópalo formaba parte de ella.

—El Ópalo es una fuente de vida —dijo Lumen, acariciando el suyo con la yema del dedo índice—. Es el poder de la Diosa y concentra la fuerza que un día, en el pasado, cubrió la superficie del mundo como un manto lleno de vida y color.

»La llegada de la Emperatriz cambió todo eso. Ahora, la vida ya no es importante. Para ser digno de la Emperatriz uno tiene que olvidarse de su cuerpo, de su sangre, de sus deseos, de sus necesidades corporales... uno tiene que volverse etéreo. Ignoro qué clase de existencia ofrece ella a cambio. Debe de ser algo maravilloso, pues tanta gente sueña con alcanzarlo, y tanta gente lo ha alcanzado ya que el poder de la Emperatriz lo abarca y lo transforma todo, y cada vez se extiende más su influencia...

»Pero la Diosa no se rinde, y sus entrañas siguen generando Ópalos, pequeñas fuentes de vida, tal vez con la esperanza de devolver la emoción y la sangre al corazón de la gente.

»Por desgracia, no todos emplean los Ópalos para renovar la vida de los seres vivos. ¿Sabes a qué me refiero?

Bipa negó con la cabeza. Lumen suspiró.

—Observa —dijo. Tomó de la estantería una figurita de cristal rojo. Parecía un insecto, con unas descomunales alas redondeadas, cuajadas de piedras amarillas y azules.

—Una mariposa tallada en un único rubí —dijo el Maestro Cristalero—. En tiempos antiguos había millares de especies de mariposas y sobrevolaban los campos por docenas cuando llegaba la primavera.

—¿Primavera? —repitió Bipa sin entender.

Pero Lumen no se lo explicó. Alzó la mano con cuidado, con la mariposa reposando sobre la palma, y con la otra mano sostuvo el Ópalo sujetándolo entre los dedos. La gema lanzó un único destello flamígero y entonces, muy lentamente, las alas de la mariposa de rubí se estremecieron y descendieron hasta quedar completamente horizontales.

—Se ha movido —musitó Bipa, maravillada.

Como si la hubiese oído, la mariposa batió las alas, una, dos, tres veces; sus delicadas antenas temblaron un instante y, antes de que Bipa pudiese reaccionar, la criatura alzó el vuelo.

—¡Pero es imposible! —exclamó Bipa—. ¿Cómo puede sostenerse en el aire?

Como burlándose de ella, el insecto revoloteó a su alrededor, primero un tanto inestable, luego más deprisa, ejecutando rizos y piruetas cada vez más atrevidos.

—De la misma manera que tu gólem de nieve puede caminar sin músculos, contemplar sin ojos y actuar sin cerebro —dijo el Maestro Cristalero, y Bipa comprendió.

—Los Ópalos dan vida a los golems. Pero Maga nunca... Maga nunca ha hecho nada semejante.

—He oído hablar de los opacos que viven más allá de los Montes de Hielo. En tiempos remotos animaron golems de piedra. Pero terminaron por abandonarlos, y dedicaron sus esfuerzos y el poder de los Ópalos a mantener con vida a los vivos.

»Por el contrario, a los Cambiantes no les interesan los vivos. Obsesionados con la pureza y la transparencia, usan los Ópalos para crear artificialmente aquello que les resulta útil y les recuerda a lo que aspiran.

»En la Ciudad, los escultores tallan golems de cristal, y mi hermano les da vida. Se ocupan de las tareas cotidianas, de los asuntos mundanos que las personas, más preocupadas por Cambiar para llegar hasta la Emperatriz, descuidaron hace ya tiempo. Pero sobre todo, los golems de cristal les recuerdan lo que ansían: perder opacidad, convertirse en etéreos. Por eso han de ser de cristal. Puro, transparente. Incoloro.

Bipa dejó escapar el aire, todavía desconcertada.

—Gélida tiene todo un ejército de golems de hielo —dijo—. No sé para qué los quiere. Casi nadie la visita nunca.

—Es una demostración de poder. Tal vez crea que podrá conquistar la Ciudad de Cristal algún día, y puede que no ande muy descaminada. Pero ni siquiera ella escapa al ideal de pureza y transparencia impuesto por la Emperatriz. Prueba de ello es que comenzó animando golems de nieve, y los abandonó cuando descubrió que podía trabajar con el hielo, que era translúcido e incoloro, no blanco y opaco como la nieve.

Bipa había abierto mucho los ojos ante esta revelación. Lumen sonrió.

—Sí —dijo—. Los golems pierden vida con el tiempo. Si no se les renueva esa vida, vuelven a ser objetos inanimados con un cierto aspecto humano. Pero también los Ópalos, si se los fuerza demasiado, se desgastan. Y por esta razón, tanto Lux como Gélida, que han mantenido un número ingente de golems durante mucho tiempo, han agotado el poder de sus Ópalos.

—Por eso Gélida quería robarme el mío —murmuró Bipa—, y por eso los golems de cristal parecían tan cansados y se movían con tanta lentitud.

Lumen asintió.

—Y probablemente tú, sin saberlo, activaste con tu propio Ópalo un gólem de nieve abandonado por Gélida quién sabe cuánto tiempo atrás.

—Darles vida para después abandonarlos... es cruel —opinó Bipa.

—Lo cruel es crearlos —dijo el Maestro Cristalero, observando, pensativo, las evoluciones de la mariposa de rubí—. Porque ya no son simples objetos, pero tampoco están vivos del todo. ¿Puede acaso estar vivo algo que no tiene corazón?

—Las plantas no tienen corazón —hizo notar Bipa—. Y están vivas. Por otra parte, no sé si los golems carecen o no de corazón, pero sí tienen sentimientos. Al menos, Nevado los tiene. Sé que los tiene, aunque no sea muy listo.

El Maestro Cristalero dejó escapar una alegre carcajada.

—Vayamos a verlo —dijo—. Seguro que te echa de menos.

Tomaron una galería ascendente; cuanto más se acercaban a la superficie tanto más descendía la temperatura, y Bipa recordó que, en efecto, la naturaleza de Nevado le impedía permanecer en lugares tan cálidos como el hogar de Lumen.

Por fin llegaron a una sala fresca y oscura. Lumen tuvo buen cuidado de dejar la antorcha prendida en la entrada. Eso bastó, no obstante, para iluminar la escena.

Bipa dejó escapar una exclamación de sorpresa. Ahí estaba Nevado, sentado sobre una enorme roca, muy quieto, mientras unas manos fuertes y firmes recomponían su cuerpo, oprimiendo aquí y allá para hacerlo más sólido y consistente. Unas manos de un color verde brillante que refulgía bajo la luz de la antorcha. Unas manos talladas en el más fino cristal.

—Bipa —dijo Lumen—, te presento a Esme.

Ella se alzó en sus cerca de dos metros y medio de estatura. Era un gólem de cristal verde y formas femeninas, exquisitamente tallado, con un rostro de rasgos humanos que mostraba una cierta expresión de ternura, aunque Bipa no pudo dilucidar si esto último se debía a la habilidad del escultor o al hálito de espíritu que latía en aquel cuerpo artificial.

—La llamé Esmeralda por razones obvias —sonrió el Maestro Cristalero—. Fue mi primer gólem, y el último. La hice en los primeros tiempos de mi exilio, cuando la soledad y el rechazo de mi gente me volvían loco. Por supuesto, no habla, pero me hace compañía, a su modo. Durante más tiempo del que puedo recordar ha sido mi única amiga. Y no tendrá corazón, pero sé que, de algún modo, tiene un alma.

Bipa se atrevió a dar un par de pasos hacia Esme, no más. Aunque parecía amistosa, era tan imponente que la intimidaba.

—¿Y renuevas su vida con el Ópalo?

—Cada cierto tiempo, sí. Cuando empiezo a notarla cansada. Como ves, mi Ópalo mantiene a un solo gólem. Nada que ver con el ejército de golems de hielo de Gélida, ni con el gran número de golems de cristal que tiene que animar mi hermano. Por eso mi Ópalo todavía conserva buena parte de sus energías.

—Hola..., Esme —saludó Bipa, dubitativa. La gólem inclinó la cabeza en correspondencia.

—No solemos recibir visitas —dijo Lumen—. Y sólo la dejo salir al exterior de noche, de modo que no ha tenido mucho trato con extraños. A los de la Ciudad no les gusta, sabes... porque es insultantemente verde —sonrió—. El color verde les gusta incluso menos que el rojo. Tal vez por ser el color preferido de la Diosa.

Bipa osó por fin acercarse a los dos golems. Comprobó que Nevado estaba bien y se atrevió a alargar la mano hacia Esme, sólo para tocarla, sólo para saber cómo era al tacto aquella pulida superficie verde. Ella giró la cabeza hacia la joven, que se sobresaltó y retiró la mano. Pero, como Esme no volvió a moverse, Bipa la tocó otra vez, maravillada. Era fría, aunque no tanto como Nevado. Sin embargo, su tacto era agradable. El material del que estaba hecho el cuerpo de Esme era duro, más duro que el del gólem de nieve, y también suave. Bipa volvió a acariciar el antebrazo de Esme con la yema de los dedos.

—Se parece a los enormes cuarzos de aquella cueva —comentó—. Y tan verde. Cuesta trabajo creer que está viva... de alguna manera.

—De alguna manera —asintió Lumen con gravedad.

Bipa lo miró.

—Es por eso por lo que no quieres confiar tu Ópalo a otra persona —dijo—. Porque temes que no se ocupe de Esme igual que tú. Que la deje morir, que se olvide de ella. ¿No es así?

El Maestro Cristalero asintió.

—Pero hay otro motivo —añadió— y éste tiene que ver directamente con mi hermano. Si entrega su Ópalo ya nada lo retendrá en la Ciudad de Cristal y entonces se marchará al palacio de la Emperatriz.

—¿No es lo que él desea?

—Sí —asintió Lumen—. Pero ya hace tiempo que no estoy seguro de que ese lugar sea el paraíso del que todos hablan. Porque lo cierto es que nadie ha regresado para contarlo.

Bipa sintió una extraña opresión en el pecho.

—Aer volverá —afirmó—. Regresará para buscar a su madre. Él...

—Quizá no se trate de una cuestión de voluntad —interrumpió el Maestro Cristalero—. Mira.

Alzó la mano para colocarla ante el fuego de la antorcha. Bipa vio que el resplandor de la llama era claramente apreciable a través de su carne.

—Somos los cristalinos. Nos llaman así porque habitamos en una ciudad tallada en cristal. Pero tenemos otro nombre, un nombre que refleja con mucha más exactitud nuestra verdadera esencia. Nos llaman los translúcidos.

Bipa tragó saliva.

Tiempo atrás, Aer le había explicado que las cosas translúcidas eran las que dejaban pasar la luz sólo un poco, al contrario que las transparentes, que la dejaban pasar completamente.

—Tú eres una opaca —concluyó Lumen, como si siguiese el curso de sus pensamientos—. Nosotros, los translúcidos, somos el paso intermedio entre los opacos y los etéreos.

»Todos Cambian en la Ciudad de Cristal; todos acaban volviéndose translúcidos tarde o temprano. Pero el proceso no se detiene ahí. La gente sigue Cambiando, y cuando están a punto de alcanzar el siguiente estadio, entonces abandonan la Ciudad y siguen adelante.

»Lux y yo llevamos aquí mucho más tiempo del que nadie puede recordar. Y, sin embargo, ninguno de los dos hemos Cambiado gran cosa desde que tenemos los Ópalos. Nuestro proceso de Cambio está estancado. Y mientras siga así no podremos continuar adelante, porque así lo dictan nuestras leyes. Para abandonar la Ciudad, mi hermano debería seguir Cambiando, y para seguir Cambiando tendría que deshacerse de su Ópalo primero. Y no puede hacerlo mientras yo conserve el mío. ¿Lo entiendes ahora?

Bipa asintió, aunque no lo comprendía del todo.

—La mayor parte de la gente Cambia —dijo Lumen—. Lo quiera o no.

—¿Quieres decir que, si Aer llega al palacio de la Emperatriz, se convertirá en un etéreo? ¿Se volverá transparente?

—Los etéreos son criaturas extrañas, Bipa. No sé hasta que punto son ya humanos. Quizá por esta razón nadie que haya emprendido el camino hacia el palacio de la Emperatriz ha vuelto sobre sus pasos. Ni los que sucumbieron en el viaje ni los que llegaron al final. Por eso, si no te vuelves como ellos, si no te transformas en una etérea, nunca más volverás a ver a tu amigo.

El estómago de Bipa se contrajo de miedo. Respiró hondo.

—En tal caso —dijo, alzando la cabeza con decisión— lo alcanzaré antes de que llegue.

Lumen sonrió.

—Deberás partir ya, pues. Esme —llamó—, lleva a Nevado a la galería oriental, a la puerta de salida, ya sabes cuál. Nosotros nos reuniremos con vosotros cuando llegue el momento.

La gólem se levantó, con un crujido de sus articulaciones de cristal, y Nevado la imitó. Bipa los perdió de vista, porque Lumen salió de la sala, llevándose la antorcha, y tuvo que seguirlo. La muchacha se sintió algo intranquila al pensar que dejaban a los dos golems en la más completa oscuridad. Pero oyeron los pasos de ambos, rechinantes los de ella, susurrantes los de él, alejándose en sentido contrario, al parecer sin echar la luz en falta, por lo que Bipa se obligó a sí misma a calmarse al respecto.

Subieron todavía más, hasta que percibieron la luz del día al final del túnel.

—¿Vamos a salir fuera? —dijo Bipa, preocupada. Recordaba muy bien las laderas de la montaña que rodeaban la Ciudad, plagadas de manojos de prismas cristalinos, afilados como cuchillas.

—Tranquila, no hay peligro —la apaciguó Lumen.

Emergieron al exterior, en la ladera de la montaña. Había un enorme prisma vertical que ocultaba la entrada del túnel de posibles miradas curiosas. Lumen se refugió tras él, y Bipa, caminando con precaución entre los cristales, lo alcanzó.

—Echa un vistazo —la invitó el Maestro Cristalero.

Bipa obedeció.

Vio la Ciudad de Cristal al fondo del desfiladero, entre dos marañas de agujas a través de las que no se divisaba ni una sola senda segura.

—¿Lo ves? —murmuró Lumen—. No se puede pasar. La única forma de cruzar al otro lado es atravesando la Ciudad de Cristal.

—Pero no me dejarán entrar —dijo Bipa, desanimada.

—Yo conozco un modo. Sin embargo, tendrás que hacerlo de noche. Será más sencillo para ti pasar desapercibida entonces.

—¿Quieres decir que existe otra puerta aparte de las dos que se ven desde aquí, la de entrada y la de sali...? Un momento —se interrumpió—. ¿Qué es eso?

Lumen siguió la dirección de su mirada y vio un nutrido grupo de figuras que avanzaban por el desfiladero en dirección a las puertas de la ciudad. Las guiaba alguien que iba montado sobre algo que parecía un enorme lagarto translúcido.

—Gélida y sus golems de hielo —susurró Bipa, aterrorizada—. ¿Qué ha venido a hacer aquí?

—Me temo que te busca a ti y a tu Ópalo, Bipa —respondió Lumen—. Y eso quiere decir que Gélida está mucho más desesperada de lo que creía. Nunca se había atrevido a llegar tan lejos.

Sobrecogidos, prestaron atención. Desde allí oyeron la voz, clara y fría, de la mujer del reino de hielo:

—¡Llamo al Señor de la Ciudad de Cristal! —proclamó ante las puertas cerradas—. ¡Exijo que se me atienda! ¿Es que acaso vuestras torres con ojos no os han informado de que venía?

—Nos han informado perfectamente, Gélida —respondió la voz del Señor de la Ciudad de Cristal entre la niebla, desde alguna de las torres de la muralla—. Por eso sabíamos que venías a la cabeza de un ejército; no debería extrañarte, pues, hallar las puertas cerradas ante ti.

—He venido en busca de algo que me pertenece —declaró Gélida, ignorando la acusación implícita de Lux—. Una opaca huyó de mis dominios llevando consigo algo muy valioso. Su rastro me ha traído hasta aquí. Exijo que me la entregues, o de lo contrario...

No terminó la frase, pero sus últimas palabras vibraron un momento en el aire, preñadas de una sutil amenaza.

—Esa opaca de la que hablas no está aquí —repuso Lux con calma—. Como sabes, no hay lugar para los opacos en la Ciudad de Cristal. Recoge a tus golems, Gélida, y vuelve por donde has venido.

—Sé que está aquí —insistió Gélida—. Y me la entregarás, Señor de la Ciudad de Cristal. Si mañana al alba no tengo a la chica y su tesoro en mi poder, atacaremos la ciudad y nos encargaremos de hacerla añicos.

—Pierdes el tiempo, Gélida. Le cerré a esa joven las puertas de la ciudad, igual que ahora te las estoy cerrando a ti.

—Sé que está aquí —repitió Gélida—, porque no hay ningún otro sitio en el que podría estar.

—En eso te equivocas —respondió Lux—, como en todo lo demás.

Gélida le gritó que diera la cara, pero el Señor de la Ciudad de Cristal no volvió a pronunciar palabra, y las puertas permanecieron firmemente cerradas.

Con el corazón en un puño, Lumen y Bipa contemplaron cómo Gélida y su ejército acampaban ante las murallas de la Ciudad de Cristal.

—¿Qué voy a hacer ahora? —murmuró Bipa, preocupada.

—No tengas miedo. A la entrada que yo conozco no se accede por la puerta principal. No tendrás que atravesar las filas del ejército de Gélida.

—Pero, si no me entrego, atacará la ciudad...

—No lo hará. Sabe que, aunque el cristal parezca frágil, en realidad es más poderoso que el hielo. Ven, volvamos a casa. Tienes que partir esta noche, y aún tenemos mucho de qué hablar.

X

El ataque de los golems de hielo

Regresaron al cálido hogar de Lumen. Bipa no vio a Esme ni a Nevado y, cuando preguntó por ellos, el Maestro Cristalero le explicó que los había enviado por delante.

—Nos están aguardando en la entrada del túnel secreto que lleva a la ciudad —dijo—. No te preocupes por ellos; los golems son criaturas pacientes.

Caía ya la tarde, y Lumen preparó la cena. Mientras Bipa sorbía lentamente su sopa, masticando con fruición los trozos de carne que navegaban en ella, el Maestro Cristalero le dio las siguientes indicaciones:

—Cruzar la Ciudad será sólo el principio. Deberás tener cuidado de que no te vean. Una opaca como tú, sobre todo si va acompañada de un gólem de nieve, llama mucho la atención. Pero eso no será lo más difícil.

»Una vez atravesada la puerta de salida llegarás al Laberinto de Espejos. Los espejos reflejarán tu imagen y absorberán tu esencia. Te verás a ti misma multiplicada docenas, cientos de veces. Y el Laberinto es inmenso, por lo que, incluso si te orientas bien, tardarás mucho tiempo en salir. Para entonces habrás perdido algo muy importante de ti misma. Habrás perdido corporeidad.

Bipa se estremeció. No obstante, dijo:

—Pero eso es bueno, ¿no? De este modo me será más fácil acercarme al palacio de la Emperatriz y encontrar a Aer.

Lumen movió la cabeza.

—Sería bueno, si no fuese porque aún te queda mucho camino por recorrer.

»Después del Laberinto de Espejos viene el Túnel de las Mil Máscaras. En él, cientos de rostros vigilarán tus pasos. Son engañosos y crueles. Tomarán la forma de aquellos que quieres, de aquellos a los que añoras. Y la única manera de avanzar es dejándolos atrás. ¿Comprendes?

—Ningún problema —asintió Bipa—. Ya he dejado atrás todo lo que amo.

—Salvo a aquel a quien pretendes encontrar.

—¿Aer? —Bipa se rió—. Él no es tan importante para mí.

—Y, sin embargo, has llegado muy lejos en su busca —observó Lumen.

Bipa resopló.

—Partí tras él porque alguien debía hacerlo. Pero ten por seguro que, si llego a saber que tendría que viajar tan lejos y pasarlo tan mal, me habría quedado en casa. Ese zoquete no merece tantas molestias por mi parte.

Lumen alzó una ceja blanca como la escarcha.

—Cuidado, Bipa —le advirtió—. Tu corazón, tus sentimientos, son tu mayor arma contra el poder de la Emperatriz. No los reprimas. Los etéreos no tienen deseos corporales, pero tampoco sienten ya las emociones. Los etéreos no sienten nada. Si quieres llegar hasta Aer tendrás que acercarte a su esencia todo lo posible... pero si te vuelves del todo como ellos, no tendrás ya deseos de regresar... y tú quieres regresar, ¿verdad?

—Por supuesto que sí —replicó ella con vehemencia—. ¿Quién querría... no sentir nunca nada?

—Tiene sus ventajas. No experimentan dolor, no los acucia el hambre, ni los angustia la enfermedad...

—Pero es como si estuvieran muertos —declaró Bipa, estremeciéndose.

—En eso te equivocas. Los muertos son cuerpos sin espíritu. Los etéreos, simplemente, renunciaron a su cuerpo, y a todo lo que ello conlleva. Alcanzaron un estadio superior...

—¡Pero eso es estúpido! —estalló Bipa—. ¡Si no comes, no duermes, no amas, no lloras..., no estás vivo! La vida es el don más preciado de la Diosa. Tú lo sabes —añadió—, porque tratas a Esme como a una persona y no como un pedazo de roca. Yo no quiero ser una etérea —declaró—. Soy opaca, soy corpórea y estoy orgullosa de serlo. Pero Aer... —concluyó entonces, en voz más baja; calló, comprendiendo por fin lo que significaba realmente el largo viaje de su amigo, y por primera vez asumió que podría ser un viaje sin retorno.

Lumen entendió sin necesidad de más palabras.

—No se lo tengas en cuenta —dijo con suavidad—. Él es medio cristalino. Lleva escrito en la sangre el deseo de ver a la Emperatriz.

—Su padre —recordó Bipa—. Su padre era extranjero. ¿Cómo sabes que vino de aquí? ¿Acaso lo conocías?

—No —respondió él—. Lo supe por su nombre. «Aer» es una palabra de la lengua antigua, una que se hablaba en nuestro mundo en tiempos remotos y que ya ha quedado olvidada. Pero algunas palabras subsisten, como mi nombre y el de mi hermano gemelo. Y el de tu amigo. Aer —añadió— significa «Aire». Un nombre muy del agrado de los etéreos.

—Aire —repitió Bipa—. Muy apropiado para él —comentó con cierto desdén—. Es lo único que tiene dentro de la cabeza.

Pero en el fondo estaba pensando en otra cosa. Estaba pensando, no sin cierto dolor, que era verdad, que Aer era como el viento, inasible, inalcanzable, tan ligero como un soplo de brisa, tan lejano como el lugar donde nacían los copos de nieve.

Tan diferente a ella...

—Sea como fuere, Bipa —prosiguió Lumen—, tendrás que alcanzarlo antes de que llegue al Abismo. Porque si cruza al otro lado, ya no podrás seguirlo.

—¿Por qué no? ¿Qué hay al otro lado?

—No lo sé, porque nunca he llegado tan lejos. Pero no es eso lo que debe preocuparte, Bipa, sino el propio Abismo. No podrás atravesarlo.

—Si Aer puede, yo también —se rebeló ella.

—¿De veras? —sonrió el Maestro Cristalero—. ¿Acaso sabes volar?

Ella lo miró, anonadada.

—No estarás hablando en serio —balbuceó.

—Para cruzar el Abismo, Bipa, hay que volar, no hay otro modo. Hay que lanzarse al vacío y aguardar el milagro. Todos los Caminantes lo hacen sin mirar siquiera, y por eso llegan al otro lado. Pero los opacos no sois capaces, no podéis. Tenéis demasiado miedo a morir.

—¿Acaso tú no lo tienes? —le espetó ella, picada.

—Sí —sonrió él—. Y por eso sigo aquí y no he sido capaz de atravesar el Abismo.

Bipa respiró hondo.

—Aer no puede ser tan estúpido —murmuró.

—Yo en tu lugar no esperaría para comprobarlo —le aconsejó Lumen.

Y en esta ocasión, la joven no supo qué contestar.

Partieron poco después, cuando Lumen juzgó que en el exterior ya se habría hecho totalmente de noche. Bipa recogió sus cosas con cierta pena. Le habría gustado prolongar su estancia en el acogedor hogar de Lumen. Pero Aer llevaba demasiada ventaja, y el tiempo apremiaba.

Estaba todavía pensando en todo lo que el Maestro Cristalero le había contado cuando llegaron a la entrada del túnel oculto. En efecto, allí los aguardaban Esme y Nevado. El gólem de nieve retrocedió unos pasos para alejarse de la antorcha que llevaba Lumen.

—Iré yo primero —dijo el Cristalero—. Sígueme, Bipa.

Caminaron por el túnel un buen rato. Cuando Bipa comenzaba a impacientarse, Lumen se detuvo de pronto y la joven casi chocó contra él.

—¿Qué...? —empezó, pero el hombre la hizo callar.

—Ssshh... Silencio a partir de aquí. Estamos llegando a la Ciudad.

Tuvieron que trepar los últimos metros. Por fin, Lumen retiró una trampilla que cubría sus cabezas, y pudieron respirar algo de aire puro.

—Sube —susurró el Maestro Cristalero—. Cuando salgas por ahí estarás en la Ciudad, en un pequeño almacén de cristales. Busca la muralla y bordéala para no perderte, te conducirá a las puertas de salida. Esme y yo nos quedamos aquí. Buena suerte —le deseó, con una sonrisa que iluminó su piel blanca como la leche.

—Muchas gracias por todo —dijo Bipa con calor—. Gracias, gracias. Nunca te olvidaré —añadió, cuando ya atravesaba el portillo.

—Eso espero —dijo Lumen.

Esme ayudó a Nevado a subir hasta donde Bipa lo esperaba. Luego, la trampilla se cerró sobre ella y sobre el Maestro Cristalero. Bipa y su gólem escucharon el susurro de sus pasos en la oscuridad.

Y después, silencio.

La muchacha respiró hondo y se irguió, con decisión.

—Andando —le dijo a Nevado en voz baja—. Tenemos que salir de aquí.

Encontraron la puerta y salieron al exterior. De noche, la Ciudad de Cristal se mostraba muda y fría entre la niebla. No había nadie, señal de que a los translúcidos no les preocupaba la presencia de un ejército de golems de hielo ante sus puertas.

«Estarán todos durmiendo», pensó Bipa. Luego recordó que, según le había contado Lumen, los habitantes de la Ciudad de Cristal apenas dormían. La muchacha se detuvo de golpe y miró a su alrededor, inquieta. Pero no vio a nadie.

Prosiguió la marcha en la semioscuridad. Sin embargo, la ciudad era grande y todas las calles le parecían iguales. ¿Cómo iba a encontrar la muralla?

«No necesito la muralla —pensó de pronto, alzando la mirada hacia el cielo—. Estoy muy cerca; la Estrella me guiará.»

Descubrió que, en efecto, el tenue resplandor que manchaba la oscuridad sobre la Ciudad de Cristal parecía proceder de una dirección determinada. Aun en la más profunda de las noches, la Estrella guiaba a los Caminantes hacia el palacio de la Emperatriz, desafiando a la tiniebla.

Bipa apresuró el paso. Tras ella oía el suave crujido de las pisadas de Nevado, que la seguía fielmente. Caminaban buscando los rincones más oscuros, pegándose a las paredes de los edificios, con pasos furtivos, como dos ladrones.

Y, por fin, Bipa divisó las puertas de la Ciudad. Echó a correr y, en su precipitación, no advirtió que las dos estatuas que flanqueaban la entrada de la calle no eran realmente estatuas.

Al gólem de cristal le bastó con alargar una mano para capturarla. Y, cuando Bipa se debatió, tratando de quebrar sus dedos, la criatura lanzó el otro puño hacia ella, sin remordimiento alguno. La chica sintió el golpe un instante antes de sumirse en la oscuridad.

Despertó sobre una incómoda cama fabricada a partir de un bloque de cuarzo duro y frío. Cuando enfocó la vista pudo ver a Nevado junto a ella. También vio las paredes de cristal de la celda, y el enorme prisma de cuarzo que bloqueaba la entrada, y recordó lo que había ocurrido.

—Podrías haberme echado una mano —le reprochó a Nevado.

El gólem no respondió. Bipa se acomodó como pudo sobre el lecho mineral y se arropó con su chal, alicaída.

Apenas había empezado a considerar todas sus opciones cuando los golems que guardaban la puerta movieron el bloque a un lado, y alguien entró. Bipa se levantó de un salto.

Ante ella se encontraba Lux, el Señor de la Ciudad de Cristal.

—Déjame salir de aquí —le pidió Bipa, antes de que el translúcido tuviera ocasión de hablar—. Déjame cruzar al otro lado. Me marcharé y no volveré a molestarte.

—Tú eres la opaca que reclama Gélida —observó Lux, y la joven recordó entonces a los golems de hielo que aguardaban en la puerta de la ciudad.

—No... no irás a entregarme a ella, ¿verdad?

—¿Y por qué no? Perteneces a sus dominios, muchacha, no a los míos.

—Pero... ¡me matará!

—Morirás igualmente si sigues adelante.

Desesperada, Bipa extrajo el Ópalo de debajo de sus ropas.

—¡Mira! —le espetó—. ¡Es esto lo que quiere! ¿Lo sabías? Déjame cruzar y será tuyo.

Las palabras habían brotado de su boca antes de darse cuenta de que iba a pronunciarlas. Se arrepintió enseguida de su ofrecimiento, y quiso retractarse, pero el Señor de la Ciudad de Cristal sonrió y dijo:

—Es lo que sospechaba.

—Espera... No hablaba en serio... en realidad... —balbuceó ella; pero Lux le hizo callar con un gesto.

—No quiero para nada tu Ópalo, muchacha. Esos objetos... parecen sagrados, pero son en realidad un lastre que nos impide Cambiar. No... eres tú la que me interesa.

—¿Yo? —se asustó Bipa—. ¿Por qué? Como tú mismo has dicho, soy una opaca y no...

—Una opaca con un Ópalo. No me malinterpretes: no quiero que ese objeto caiga en manos de Gélida. Si se lo entrego, como pide, hoy se marchará, pero mañana regresará con un ejército mucho mayor, y entonces sí destruirá la Ciudad de Cristal, porque mis golems estarán demasiado agotados como para hacerle frente.

»Pero tampoco quiero tu Ópalo. Para mí es una carga. Hace ya mucho tiempo que ansío desprenderme de él y Caminar hacia el palacio de la Emperatriz. Pero no puedo...

—... porque tu hermano tiene un Ópalo semejante —murmuró Bipa—. Lo sé.

—Y porque tengo una responsabilidad para con la Ciudad. Hace mucho que deseo poder encontrar un sucesor, alguien que herede mi cargo. Pero no puedo entregarle mi Ópalo a nadie. Sin embargo, tú eres demasiado opaca como para seguir Caminando, y, por otro lado, tienes un Ópalo...

Bipa comprendió.

—¿Pretendes marcharte de aquí y dejarme a mí en tu lugar? ¡Pero yo no puedo ocupar tu puesto! Tengo que seguir adelante, tengo que encontrar a Aer...

—Con ese Ópalo no serás capaz de Cambiar, es demasiado poderoso todavía. De modo que no podrás llegar nunca al palacio de la Emperatriz. Pero éste —añadió, señalando su propia frente— está casi agotado. Después de tanto tiempo, por fin... se me permitirá Caminar... y Cambiar... incluso aunque lo lleve puesto.

—No pienso quedarme aquí —insistió ella—. No puedo.

—Podrás —le aseguró Lux—, porque te quedarás aquí encerrada hasta que seas uno de nosotros. Y entonces comprenderás la importancia de la gema que traes, y estarás dispuesta a aceptar tu destino como Señora de la Ciudad de Cristal.

—¿Y convertirme en alguien como tú? —replicó Bipa, desafiante—. No, gracias.

Lux no respondió. Sólo la miró un instante, con una enigmática sonrisa. Y Bipa no pudo evitar acordarse de Lumen, tan idéntico a él, y a la vez tan diferente.

Entonces, el Señor de la Ciudad de Cristal dio media vuelta y salió de la celda.

—¡Eh! —lo llamó Bipa—. ¿Has escuchado algo de lo que te he dicho?

No hubo respuesta. Bipa pegó la nariz a la pared y oteó el exterior, pero no pudo ver ya a nadie entre la niebla. Fuera seguía siendo de noche.

Entonces, se oyó un silbido, un golpe y un estruendo de cristales rotos. Bipa levantó la cabeza, alerta.

—¿Qué ha sido eso?

El ruido se repitió. La muchacha prestó atención. Parecía como si algo muy pesado hubiese caído del cielo sobre los tejados de la ciudad. Enseguida, otro de aquellos objetos se estrelló contra una casa, muy cerca de allí. Bipa estaba demasiado lejos como para verlo, pero oyó el sonido.

Si había caído tan cerca, también podría caer sobre ella.

A través de las paredes de su prisión vio que la calle se animaba. Los habitantes de la ciudad, presurosos, salían de sus casas y corrían todos en la misma dirección. Los golems los seguían.

—¿Qué estará pasando? —se preguntó Bipa.

En alguna parte, una torre se rompió en mil pedazos, abatida por otro de aquellos grandes objetos que llovían del cielo.

—Tenemos que salir de aquí —le dijo a Nevado, estremeciéndose.

Trató de mover la gran roca de cuarzo que bloqueaba la entrada, pero no fue capaz. Nevado también lo intentó, y consiguió desplazar la roca un poco, pero no lo suficiente. Empujaron los dos a la vez. Sin embargo, el cuarzo no se movió ni un centímetro más.

Cuando Bipa, cansada de empujar, se dejó caer en el suelo, exhausta, algo atrajo su atención en el exterior. Volvió a pegar la nariz al cristal y distinguió, emergiendo de entre las sombras nocturnas, la alta figura de un gólem que se acercaba. Hasta que no estuvo junto a la puerta, Bipa no se percató de que era más oscuro que los demás.

—¿Esme? —la llamó, sin poder ocultar su alegría.

Ella no dio muestras de haberla oído. Empujó el bloque de cuarzo de la entrada hacia un lado, desde un punto que Bipa y Nevado, encerrados en el interior de la celda, no podían alcanzar. Y, después de unos breves instantes de incertidumbre, la roca se movió, despejándoles la salida.

Bipa recogió sus cosas y se apresuró a escapar al exterior, seguida de Nevado. Se abrazó a la dura cintura de Esme.

—¡Gracias, gracias! Te debemos otra, Esme.

Ella inclinó la cabeza para mirarla, pero esa fue su única reacción. Se separó de Bipa con delicadeza y echó a andar sin esperarlos. Pese a ello, Bipa supo que tenían que seguirla.

Corrieron detrás de Esme, atravesando las calles de la Ciudad de Cristal. Nadie les prestó atención. Todos tenían cosas más importantes en qué pensar.

Los bloques seguían cayendo del cielo, y Bipa tuvo ocasión de examinar uno de ellos. Había quedado en medio de una calle, adonde había ido a parar tras destrozar una cúpula.

—Es granizo —dijo la chica, perpleja—. Está granizando.

Pero aquellas piedras de hielo eran demasiado grandes como para ser naturales. Por otra parte, estaban causando destrozos considerables. «Si aquí granizara de esta forma a menudo —razonó Bipa—, a estas alturas ya no existiría la Ciudad de Cristal.»

Pero, entonces, ¿quién podría bombardear la ciudad de aquella manera? Bipa pensó en Gélida. Sin embargo, desechó la idea. Ni siquiera ella sería capaz de hacer algo así.

Apartó definitivamente aquellos pensamientos de su mente para salir corriendo detrás de Esme, que se alejaba. La siguió durante un rato, entre el sonido atronador de los proyectiles de hielo que torturaban la ciudad, hasta que ella se detuvo en la entrada de la calle que conducía a la puerta de salida. Allí seguía todavía uno de los golems guardianes, silencioso e inmóvil. El otro, probablemente, habría ido donde todos los demás, a defender la ciudad, si es que podían defenderla de alguna manera.

—No nos dejará pasar —dijo Bipa, preocupada. Comprendía que no podía pedir a Esme que luchara contra él, y Nevado no era lo bastante consistente como para poder enfrentarse a un gólem de cristal.

En aquel instante, el guardián de la puerta volvió la cabeza hacia Bipa para evaluarla. Ella entendió entonces que no la juzgaba por ser una intrusa, sino por su condición de opaca.

Bipa tuvo miedo. El gólem de cristal se movió hacia ella, amenazador. En esta ocasión, adivinó, no se contentaría con dejarla inconsciente. Iba a matarla. Dio media vuelta para escapar, pero chocó con Nevado, y ambos cayeron al suelo.

El gólem de cristal descargó el puño sobre ellos.

Pero un brazo verde se interpuso entre el guardián y sus víctimas. Se oyó un sonido desagradable, como un chirrido, y el gólem de cristal retrocedió un paso.

Bipa se atrevió a mirar.

Esme se alzaba ante ella, inmóvil, majestuosa, protegiéndolos del guardián con su propio cuerpo. Las dos enormes criaturas se miraron la una a la otra. Esme avanzó un paso.

Mientras tanto, seguían lloviendo bloques de hielo sobre la Ciudad de Cristal.

El guardián se abalanzó sobre Esme, y los dos golems chocaron con violencia. Esme resistió el golpe; sus pies no se despegaron del suelo. El gólem de cristal la golpeó, volteando el brazo contra ella, y Bipa oyó que algo se resquebrajaba. Sin embargo, en la penumbra no pudo distinguir cuál de los dos había sufrido daños.

Sintió que algo muy frío y húmedo tiraba de ella, y se sobresaltó.

Descubrió que se trataba de Nevado, que se había puesto en pie e intentaba levantarla. Bipa obedeció, aún aturdida. Cuando se quiso dar cuenta, Nevado la arrastraba hacia la puerta. La muchacha trató de reaccionar y se desasió del helado contacto de su mano.

—Para... ¡Para! ¡No podemos dejarla así!

Pero Nevado la cogió, sin contemplaciones, y se la cargó a la espalda. Bipa pataleó, llamando a Esme, mientras el gólem de nieve corría en dirección a la puerta y, a sus espaldas, aquellas dos formidables criaturas, una de cristal y otra de esmeralda, seguían enzarzadas en una terrible batalla.

Por fin, Nevado la depositó ante la puerta. Bipa echó un último vistazo atrás, pero la niebla y la oscuridad impedían ver otra cosa que dos formas confusas. Respiró hondo y se esforzó por concentrarse en la vía de escape que tenía frente a ella.

En aquel momento se oyó un ruido que acabó con un escalofriante tintineo, como si algo muy grande se hubiera roto en mil pedazos.

—¡Esme! —gritó Bipa, angustiada.

Trató de volver atrás, pero Nevado la retuvo entre sus fríos brazos.

—No te preocupes por ella —dijo una voz en la oscuridad.

Bipa distinguió los rasgos del Señor de la Ciudad de Cristal, y retrocedió asustada. Pero él sonrió; y Bipa descubrió entonces que era Lumen, el Maestro Cristalero.

—Me temo que te debo una disculpa por no haberte hablado de los golems que vigilaban las puertas —dijo él—. En mi defensa diré que no sabía que existían. Lux debe de haberlos puesto aquí después de que yo fuese expulsado de la ciudad.

Pero a Bipa eso ya no le preocupaba.

—¿Qué está pasando? —inquirió—. ¿Qué son esas cosas de hielo, y de dónde salen?

—Gélida no ha querido esperar al amanecer: está atacando la ciudad.

—No puede ser —balbuceó la chica—. ¿Qué vais a hacer?

—Defendernos, por supuesto. Y ahora, vete. Los asuntos de los translúcidos no son de la incumbencia de una muchacha opaca.

—Pero...¡todo esto es culpa mía!

—No, no lo es. Gélida lleva mucho tiempo queriendo traspasar las puertas de la Ciudad de Cristal, pero Lux nunca se lo ha permitido: sólo es una pálida, demasiado opaca para continuar, y lo seguirá siendo, mientras sea incapaz de renunciar a su ejército, a su palacio y a sus sirvientes. Gélida quiere tu Ópalo, es cierto. Pero también desea atravesar la ciudad, como tantos otros. Y ahora ya tiene una excusa para tratar de hacerlo a la fuerza. Márchate: nosotros nos ocuparemos. Yo ayudaré a mi hermano y animaré más golems para él.

—Pero... ¿qué pasará con Esme?

—Mi Ópalo no va a desgastarse con tanta facilidad, Bipa, no te preocupes.

Mientras hablaba, una figura se había acercado a ellos, envuelta en jirones de niebla. Cuando se aproximó lo bastante como para poder reconocerla, Bipa dejó escapar un suspiro de alivio: era Esme.

Parecía cansada, y su pulida superficie cristalina estaba resquebrajada en algunos puntos, pero aún estaba entera.

La joven se sintió tan aliviada que la abrazó con fuerza.

—Gracias, Esme.

Lumen sonrió.

—Es una chica fuerte. Es hora de que te vayas, Bipa. La gente está muy ocupada, pero igualmente tratarán de impedirte marchar, si te descubren.

Ella los abrazó a ambos y les dio las gracias de nuevo. Después, seguida de Nevado, franqueó las puertas de la ciudad de Cristal y corrió entre la niebla sin mirar atrás.

El camino ascendía entre dos paredes rocosas espinadas de agujas de cristal. Bipa corrió todo lo que pudo, trepó, resbaló, se levantó de nuevo... una y otra vez.

Cuando el día comenzaba a clarear se detuvo a recuperar el aliento, exhausta. Había llegado a lo alto de la elevación, pero el terreno no se abría ante ella, sino que, por el contrario, el camino se estrechaba y se adentraba en una cueva cuya boca estaba erizada de prismas de cristal, como los dientes de unas mandíbulas amenazadoras.

Bipa se estremeció y dudó un momento. Se dio la vuelta para contemplar, quizá por última vez, la Ciudad de Cristal que se extendía a sus pies. La luz del día había disipado la neblina lo bastante como para apreciar sus contornos. Desde allí también eran claramente visibles todos y cada uno de los golems de hielo que aguardaban al otro lado, ante la muralla.

Sólo que ya no se contentaban con aguardar.

Un cristal se rompió en alguna parte. Y otro. Y otro más.

Bipa contempló, sobrecogida, cómo los golems de Gélida lanzaban enormes bloques de hielo contra la muralla, con tanta violencia que llegaban a quebrarla. Sus cuerpos se contorsionaban en un giro imposible para voltear el brazo desde atrás, con un brusco movimiento de cintura que disparaba rocas de hielo como si sus miembros superiores fuesen una poderosa honda. Algunos de los proyectiles eran tan grandes y llegaban tan alto que alcanzaban las torres de cristal.

Bipa fue testigo de la destrucción de las delicadas agujas bajo la lluvia de bloques de hielo. Impasible, Gélida contemplaba el ataque de sus golems desde lo alto de su enorme lagarto animado.

—¿Qué les pasa? —murmuró la muchacha, angustiada—. ¿Por qué no hacen nada?

Forzó la vista para tratar de distinguir lo que sucedía en el interior de las murallas. Una breve ráfaga de brisa despejó la niebla un poco más, y Bipa vio, no sin cierto alivio, que detrás de la puerta aguardaban docenas de golems de cristal en perfecta formación. Descubrió entonces que estaban llegando más, desde todos los rincones de la ciudad. Cuando todos estuvieran preparados, las puertas se abrirían y los translúcidos se defenderían por fin del ataque de Gélida.

Bipa no vislumbró a Esme entre las criaturas de cristal, aunque desde aquella distancia era difícil estar segura. Con todo, el hecho de no distinguirla entre los demás la tranquilizó un tanto, y pensó que era curioso: aquel día muchos golems serían destruidos, morirían, si es que la existencia de aquellas criaturas podía calificarse de «vida». Y, sin embargo, Bipa sólo podía preocuparse por Esme, quizá porque era distinta, o tal vez porque la conocía... o porque tenía un nombre.

Sin poder evitarlo, la joven alzó la cabeza para mirar a Nevado, que seguía en pie, junto a ella. Su cuerpo ya no era tan blanco como la nieve recién caída; ahora era de una tonalidad blanca sucia, y estaba maltrecho, al igual que su contorno. Bipa acarició su frío brazo con suavidad.

—Vámonos —le dijo, con cierta ternura.

Nevado no respondió. Pero bajó la mirada hasta ella, y en sus ojos huecos a Bipa le pareció leer un mudo asentimiento.

Ambos dieron la espalda a la ciudad donde gélidos y cristalinos iniciaban una dura batalla sin cuartel; una batalla que había comenzado por culpa del Ópalo que Bipa llevaba sobre su pecho. «Si gana Gélida —reflexionó la joven— quizá se apropie del Ópalo de Lumen.» ¿Qué sería entonces de Esme? Procuró no pensar en ello. Quizá cuando regresase con Aer, pudiera hacer algo para cambiar las cosas. Si es que regresaba.

Inspiró hondo y se introdujo, con cuidado, por entre los dientes de cristal de la caverna. Nevado la siguió.

En el interior de la cueva, como Bipa había supuesto, reinaba la más profunda oscuridad. Avanzó un poco, pero cuando la luz que se filtraba a través de la entrada dejó de ser suficiente, sacó la antorcha de la mochila.

—Atrás, Nevado —le advirtió.

Sin detenerse a ver si el gólem la obedecía, Bipa encendió la tea. Cuando la alzó en alto y miró a su alrededor, se le escapó una exclamación de asombro, y a punto estuvo de dejarla caer.

Estaba rodeada por cientos de muchachas exactamente iguales, y por cientos de golems de nieve como Nevado. Todas las chicas sostenían una antorcha encendida, lo cual confirió a la cueva, de repente, una intensa luminosidad.

—¿Quiénes sois? ¡Hablad! —las desafió Bipa.

Todas las chicas movieron los labios a la vez en una muda pregunta, pero el único sonido que se oyó fue el de la voz de Bipa, replicado por el eco.

—No puede ser... yo —dijo ella de pronto, anonadada; se palpó la cara con la mano libre, y todas las chicas repitieron el gesto.

Tragando saliva, se acercó a la más próxima, intentando no mirar a las demás, que avanzaban todas al mismo tiempo.

—No puedo ser yo —repitió, contemplando la imagen. La chica le devolvió una mirada entre crítica y aterrada. No era del todo ella. O, al menos, no la Bipa que ella recordaba. No había espejos en las Cuevas, pero a menudo se había visto a sí misma reflejada en las aguas del lago, cuando rompían la capa de hielo de la superficie para pescar. Aquella Bipa, la Bipa del espejo, tenía el cabello tan claro que casi parecía rubio. Y estaba mucho más delgada. Sin duda, aquel viaje lleno de privaciones le estaba haciendo perder volumen, pero no explicaba el cambio en el tono de pelo, ni otros cambios más sutiles como el de su piel, de una palidez enfermiza, o el de sus ojos, que también eran más claros de lo que recordaba.

Y, por primera vez en su viaje, Bipa tuvo auténtico pánico. Deseó regresar corriendo a casa, recuperar su vida, su aspecto, su identidad. Siempre había sido consciente de que en aquella búsqueda podía llegar a perder la vida, pero, por algún motivo, eso no le parecía tan terrible como perderse a sí misma.

—Estoy... Cambiando —gimió, aterrorizada.

Dejó caer la antorcha, dio media vuelta y echó a correr... y topó de bruces con otro espejo. El chocar contra sí misma y ver a cientos de Bipas caer al suelo fue para ella una experiencia turbadora.

—¡Marchaos todas! —gimió, encogiéndose sobre sí misma—. ¡Desapareced!

Cerró los ojos y se tapó la cara con los brazos. Pero cuando volvió a mirar, no sólo las Bipas seguían ahí sino que cientos de Nevados avanzaban hacia ella a la vez, como un disciplinado ejército blanco. Bipa gritó cuando todos ellos le tendieron una antorcha encendida, cientos de antorchas encendidas; su grito se multiplicó por el efecto del eco, y fue como si todas las Bipas gritaran de horror.

Pero sintió algo más: el calor de la llama de la antorcha, y se volvió hacia Nevado, el de verdad. La superficie del gólem empezaba a licuarse, como si la criatura estuviese sudando copiosamente, y el sentido común de Bipa se impuso ante todo lo demás. Le arrebató la antorcha a Nevado y le ordenó:

—¡Atrás, atrás! Esto es demasiado peligroso para ti.

Nevado obedeció, y todos los golems retrocedieron al mismo tiempo. Bipa suspiró hondo y se puso en pie.

—Andando —dijo.

Deslizó una mano por el espejo, palma con palma sobre su imagen, hasta que encontró un resquicio entre aquella superficie y la siguiente. Aunque el efecto le resultaba inquietante, avanzó hacia otra de las Bipas hasta casi chocar contra ella, y entonces torció a la derecha. Por ahí había un camino, pero, nuevamente, docenas de Bipas y Nevados los aguardaban.

—Supongo que el secreto está en no fijarme demasiado en ellos, ¿no? —le dijo al gólem—. Después de todo sólo hay una Bipa, y ésa soy yo. De eso puedo estar segura, así que no tengo por qué tener miedo.

Siguieron avanzando, buscando huecos entre los espejos. Bipa pronto se encontró desorientada. No importaba hacia dónde caminase, las otras Bipas reproducían sus movimientos en todas las direcciones imaginables. La joven no tardó en estar completamente perdida en el Laberinto de los Espejos.

Pese a todo, no dejó de caminar. Siguió adelante, sin detenerse, deslizándose entre aquellas superficies reflectantes. Y así se acostumbró a la imagen de los espejos y aprendió a sentirse reconfortada por su compañía. Ya no estaba sola, porque cientos de Bipas y de Nevados la acompañaban.

«Todas son yo —se sorprendió pensando—. Y yo soy todas ellas.»

Contempló la imagen más cercana. Y se le ocurrió una idea extraña.

Quizá ella no fuera realmente Bipa. Tal vez fuese una de aquellas Bipas encerradas en los espejos. Tal vez la verdadera Bipa estuviese al otro lado, en alguna parte, caminando, perdida entre los espejos. Y ella no era más que su imagen reflejada en un pedazo de cristal azogado.

Se asustó. Gritó y golpeó con todas sus fuerzas el espejo más cercano. Fue como golpearse a sí misma, pero eso no le importó. En el fondo odiaba a aquella Bipa a la que apenas reconocía, por lo que siguió golpeando el cristal, desesperada, luchando por escapar...

Hasta que el espejo se quebró con un chasquido. Bipa se detuvo y retrocedió, asustada, sin dejar de mirar su imagen, grotescamente partida en dos.

Sin poder soportarlo más, echó a correr.

Corrió y corrió a través del Laberinto de los Espejos, durante lo que le pareció una eternidad. Corrió sin volver a mirar a todas las Bipas que corrían con ella, sin mantener un rumbo fijo, simplemente avanzando por donde podía. En su mente sólo cabía un pensamiento: «Tengo que escapar de aquí antes de que me convierta en una de ellas. Antes de que quede atrapada para siempre en un espejo.»

Cuando por fin, agotada, cayó de rodillas al suelo, la antorcha rodó y se apagó, pero la caverna permaneció iluminada.

Bipa alzó la cabeza, con precaución.

Y vio la salida.

Estaba un poco más allá, apenas un círculo de luz azulada que se derramaba sobre los espejos. La muchacha se levantó con cuidado y avanzó hacia ella, sin apartar la mirada de su objetivo.

Y finalmente sus pies la llevaron hasta un arco que conducía a un nuevo túnel... sin espejos.

Temblando de alivio, Bipa se dejó caer al suelo, con la espalda apoyada contra la pared, y contempló la galería que se abría ante ella. Era un larguísimo túnel de cristal. Sus paredes mostraban una luminiscencia iridiscente, casi mística, con suaves resplandores cambiantes que hacían innecesario el uso de antorchas. No eran lisas, sino que presentaban unos curiosos bultos redondeados que Bipa no sintió ganas de examinar. Simplemente se quedó allí, descansando.

Palpó sus manos y su rostro. Seguía siendo corpórea, tridimensional. Había escapado de los espejos.

Cerró los ojos con un suspiro de alivio.

En aquel momento, Nevado la alcanzó. Él no se había visto afectado por el sutil engaño de los espejos, pero sus bordes y aristas habían hecho mella en su cuerpo, arañando su piel de nieve y arrancando incluso algunos pedazos de ella. Bipa lanzó una exclamación consternada y se apresuró a recomponerlo como mejor pudo, apelmazando la nieve y redistribuyéndola con las palmas de las manos.

—Eres muy frágil —le dijo—. Más que esas criaturas de cristal.

Nevado no dijo nada, pero inclinó la cabeza, con cierta pesadumbre.

Bipa aprovechó la pausa para comer y descansar. Racionó bien las provisiones que le había dado Lumen; no sabía qué encontraría al otro lado, ni si volvería a topar con alguien tan hospitalario como él.

Cuando se sintió con fuerzas, se levantó, cargó con sus cosas y se adentró por el túnel.

Nevado la siguió.

XI

«Te llevaré a casa...»

Enseguida descubrió, con sorpresa y algo de aprensión, que aquellas protuberancias de las paredes eran rostros esculpidos en cristal. Todos ellos parecían iguales, máscaras inertes e inexpresivas, con los ojos vacíos y la boca entreabierta.

Los rostros cubrían todos los resquicios del túnel, salvo el suelo. Tapizaban las paredes y el techo abovedado que se alzaba sobre ella. Bipa se preguntó quién se habría tomado la molestia de tallar todas aquellas caras en el cristal y por qué. No obstante, enseguida las olvidó para centrarse en el camino que tenía ante sí.

El túnel parecía interminable. A pesar de la presencia de todos aquellos rostros de cristal que la vigilaban, las únicas amenazas que parecía contener el lugar eran la monotonía y el aburrimiento. A Bipa no le preocupaban las máscaras. Le parecían inofensivas, comparadas con los cientos de Bipas y Nevados del Laberinto de los Espejos. Las caras de cristal no se movían ni le recordaban a nadie en particular.

Por eso no se preocupó cuando empezó a creer que reconocía los rasgos de alguna que otra. «Son todas iguales —se recordó a sí misma—. Es el cansancio lo que te hace ver cosas raras.» Pero inconscientemente empezó a fijarse más en las máscaras. Se detuvo, perpleja, ante una de ellas.

En una primera mirada le había parecido que era igual que su amiga Taba. Pero al observarla de cerca descubrió que había sido una ilusión óptica: aquella cara de cristal era como todas las demás.

El fenómeno, no obstante, se repitió. A medida que fue avanzando le pareció descubrir los rostros de personas a las que conocía; pero siempre las veía por el rabillo del ojo. Cuando se volvía para examinarlas mejor se daba cuenta de que las máscaras seguían siendo todas idénticas.

Así, desde las paredes del túnel de cristal la contemplaron los rostros de Nuba, de Gélida, de Maga, de Lumen (o tal vez Lux); también creyó reconocer a otras personas de las Cuevas, el mundo que había dejado atrás. Y por fin, como había temido, una de las máscaras tomó el aspecto de su padre.

Bipa se volvió bruscamente hacia aquel rostro cristalino. Esperaba descubrir, una vez más, que se había equivocado. Pero vio, con horror, que la máscara tenía de verdad los rasgos de Topo.

Su corazón dejó de latir un breve instante. No eran imaginaciones suyas. Los rostros de cristal eran los rostros de gente que conocía. Y aquél era, sin duda, su padre; hasta le pareció que le sonreía.

Apartó la mirada, muerta de miedo. De pronto el túnel ya no estaba cuajado de rostros iguales. Era toda una galería de caras conocidas. Ahí estaba de nuevo Taba, y Maga, y Nuba, y toda la gente de las Cuevas, y Lumen (o Lux), y Gélida, incluso Nívea.

Eran ellos, todos y cada uno de ellos, ahora los veía con tanta claridad que no comprendía cómo había creído, al principio, que todas las máscaras eran iguales.

—¿Qué... qué hacéis aquí? —balbuceó.

Y oyó la voz de Taba en alguna parte.

—Oh, Bipa... fuiste a buscar a Aer, ¿verdad? Qué valiente eres...

Bipa se volvió hacia todos lados, sacudiendo la cabeza con violencia, esperando, tal vez, despertar así de una extraña pesadilla. Ahí estaba la máscara con el rostro de Taba, y sí, estaba hablando...

... Y de pronto, todos los rostros estaban hablando.

—... Tienes que devolverme el Ópalo —decía Maga; parecía mucho más vieja y cansada de lo que Bipa recordaba—. Sabes que lo necesito. Los enfermos...

—... Mi hijo —decía Nuba—. Siguió el camino de su padre. Él...

—... Ese colgante que llevas —exigía Gélida—. Dámelo, y a cambio te permitiré salir con vida de este lugar...

—... Es peligroso, Bipa —proclamaba Lumen—. No podrás alcanzar a tu amigo si sigues siendo opaca, pero...

—... Vuelve a casa —le imploraba su padre.

Solamente repetía eso, una y otra vez, como una letanía: vuelve a casa... vuelve a casa... vuelve a casa...

Bipa gritó y se tapó los oídos, pero las voces continuaban hablando, todas a la vez, y resonaban en su cabeza y en su corazón. La joven echó a correr, buscando el final de aquel lugar de locura, pero el túnel no se terminaba, y las máscaras reproducían una y otra vez los rasgos de sus amigos y conocidos, que seguían hablando sin cesar.

—... Una opaca como tú no puede traspasar las puertas de la Ciudad de Cristal...

—... ¡Un cúmulo de carne! ¿Cómo te atreves...?

—... Aer se fue... como su padre... El palacio de la Emperatriz...

—Vuelve a casa... vuelve a casa... vuelve a casa...

Bipa no pudo más. Se detuvo y gritó al túnel, con todas sus fuerzas:

—¡¡¡Basta!!! ¡Callaos de una vez!

Los rostros de cristal enmudecieron un instante, pero enseguida volvieron a hablar todos al mismo tiempo, en una cacofonía de voces que hundió a Bipa en una profunda desesperación. Se sentó en el suelo, con la cabeza escondida entre las rodillas y protegida por ambos brazos, hecha una pequeña pelota temblorosa. Las voces seguían parloteando, y Bipa luchó por ignorarlas. Ni siquiera la fresca presencia de Nevado contribuyó a reconfortarla.

Hasta que oyó aquella voz:

—... Eres la más opaca de todos los opacos.

Bipa abrió los ojos y alzó la cabeza, inquieta. Se volvió hacia la pared más cercana. Su mirada saltó de máscara en máscara hasta que topó con la que buscaba.

El rostro de Aer, allí mismo, en el túnel de cristal, entre una máscara de Topo y otra de Nívea. Un rostro anguloso y transparente, pero que reproducía sus rasgos y hasta su pícara sonrisa.

Bipa sabía, en el fondo, que no era real. Pero su alivio al verlo fue tal que le habló como si lo fuera.

—¡Idiota! —le espetó—. Lo he pasado fatal, y todo por tu culpa. Sólo tú podías ser tan estúpido como para emprender un viaje como éste.

—Y sólo una estúpida seguiría a un estúpido —le replicó él, para su sorpresa—. Vamos, Bipa. Sabes que es mi destino, que lo llevo en la sangre. Tengo que ir al palacio de la Emperatriz. No hay otra salida.

—Sí, la hay —le replicó Bipa, con cierta angustia—. Puedes volver a casa. Tu madre te echa de menos. Todos te echan de menos.

—Y tú también, ¿no es cierto?

—Más quisieras —gruñó ella, pero el rostro de cristal siguió hablando, sin escucharla.

—Me estás siguiendo porque quieres atarme a tu lado —prosiguió, sin piedad—. Porque no quieres admitir que no soy como tú. Mi lugar no está entre los opacos. A donde yo voy tú no puedes seguirme.

—No sé por qué crees que... —empezó ella, pero no encontró las palabras para continuar.

Las acusaciones de Aer abrían una herida profunda en su corazón.

No obstante, la máscara siguió hablando. Ya no parecía de cristal; había adquirido fluidez y elasticidad, y por eso, su gesto desdeñoso y su sonrisa llena de ironía y desprecio eran todavía más apreciables que antes.

—Mírate. ¿Qué te hace pensar que te quiero a mi lado? ¿A una Opaca que es incapaz de comprender la grandeza de los etéreos, la grandeza de la Emperatriz? ¿Qué te hace pensar que estás a mi altura?

Bipa parpadeó, luchando con furia para retener las lágrimas.

—Cállate... Oh, cállate, estúpido cabeza hueca...

—¿Hasta dónde vas a llegar en mi busca? ¿Qué te hace pensar que quiero que me sigas... opaca?

Su última palabra estaba cargada de desprecio.

—¡Cállate! —bramó Bipa, pero Aer se rió, se rió con fuerza y sin piedad... se rió de ella.

Y Bipa no tuvo más remedio que escuchar aquellas carcajadas, mientras el rostro de su padre repetía: «Vuelve a casa... vuelve a casa...». Y el de Nívea le recordaba: «Eres repugnante, opaca, un cúmulo de carne...».

—¡¡Callaos!! —gritó Bipa con todas sus fuerzas—. ¡Dejadme todos en paz!

Pero los rostros continuaban hablando todos a la vez y, por encima de aquellas voces, Aer seguía riéndose de ella...

Bipa sintió que se mareaba. El mundo empezó a girar vertiginosamente a su alrededor, tuvo la sensación de que caía... y perdió el conocimiento antes de tocar el suelo.

Cuando despertó, horas más tarde, no se oía absolutamente nada. Las voces habían callado, de forma inexplicable, y apenas quedaba un eco de ellas en algún rincón de su mente. Lenta, muy lentamente, Bipa abrió los ojos.

Ya no estaba en el túnel de cristal. Las máscaras habían desaparecido. Ante ella se extendía una interminable estepa blanqueada por la nieve.

Se incorporó. Le dolía la cabeza, pero se esforzó por situarse. Miró a su alrededor y se encontró al pie de una alta cordillera formada por inmensos bloques de cuarzo translúcido. Junto a ella se abría la boca de una cueva de la que fluía un resplandor que no le era desconocido.

—El Túnel de las Mil Máscaras —murmuró; descubrió a Nevado a su lado, inmóvil como una estatua, alerta como un centinela—. ¿Me has sacado tú? —le preguntó, aunque ya conocía la respuesta.

El gólem no se inmutó. Tampoco lo hizo cuando Bipa lo abrazó en señal de agradecimiento.

La brisa le trajo un susurro siniestro. Parecía provenir del interior de la cueva.

—Vámonos de aquí —dijo, reprimiendo un estremecimiento.

Se levantó, aún temblorosa, y comenzó a caminar, contenta de volver a estar al aire libre y de poder alejarse de aquel lugar.

Recorrieron la llanura en silencio. La niebla allí era menos densa, pero la luz que clareaba el cielo no se parecía a la luz diurna que Bipa conocía. Era una luz azul, pálida, helada; teñía el ambiente con una extraña tonalidad que definía los contornos y espesaba el aire a la vez.

—Esta luz —comprendió la joven— no es de este mundo.

Se detuvo y alzó la cabeza. Y allí, suspendida en el cielo, entre la niebla, vio la Estrella, todavía lejana, pero mucho más grande y real de lo que jamás había imaginado.

—La Estrella que señala el lugar donde está el palacio de la Emperatriz —murmuró Bipa.

Estaban muy cerca.

Demasiado cerca.

Continuaron la marcha a través de aquella estepa vacía, anormalmente silenciosa.

Hasta que llegaron al Abismo.

Era una profunda garganta que abría la tierra y la partía en dos. Entre uno y otro lado de la brecha se extendía un precipicio tan hondo que no se veía el final; y tan amplio que apenas se distinguía el otro extremo entre la niebla.

Y no había nada para cruzarlo. Ni un puente, ni una escalera, ni una cuerda... Nada.

Le vinieron a la mente las palabras del Maestro Cristalero: «¿Acaso sabes volar?».

No obstante, y contra todo pronóstico, Bipa no se desanimó ni permitió que la acometiera la desesperación. Acogió la nueva situación con un cierto estado de resignación indiferente, o de indiferencia resignada.

—Muy bien —dijo solamente—. Este Abismo será muy grande, pero tiene que terminar en alguna parte.

De modo que se puso en marcha de nuevo, seguida por Nevado, a lo largo del precipicio. Caminaron hasta que se hizo de noche, una noche extraña, teñida por el resplandor azul de la Estrella. Entonces acamparon al borde del barranco. Y al día siguiente continuaron otra vez.

Llevaban medio día caminando cuando algo sacó a Bipa de su sopor.

Había una figura moviéndose por el precipicio. No por el borde, como hacían ellos, sino *a través* del precipicio. Bipa corrió, esperando ver un puente o algo similar, pero cuando estuvo lo bastante cerca se detuvo, con el corazón palpitante, sin poder creer lo que veía.

En primer lugar, no había ningún puente. La persona que cruzaba el Abismo lo hacía caminando en el aire, suspendida sobre un vacío tan profundo que a Bipa le daba vértigo sólo de imaginarlo. Aquel loco o valiente simplemente flotaba sin nada que lo sostuviese, volaba sin necesidad de alas.

Aquel loco o valiente era Aer.

Bipa reconoció su modo de andar, resuelto y desgarbado, incluso en el aire. Reconoció su figura aun en la distancia, aunque el cabello se le hubiese vuelto completamente blanco, y hubiese adelgazado tanto que más parecía un esqueleto que una persona.

—No puedo creerlo —murmuró, con los ojos anegados de lágrimas—. No puedo creerlo.

Lo había encontrado. Lo había alcanzado, por fin. Se secó los ojos con el dorso de la mano y gritó:

—¡¡Aer!!

El eco le devolvió su voz (*Aer... Aer... Aer...*), pero el muchacho que caminaba suspendido en el vacío no pareció escucharla. Bipa lo intentó de nuevo:

—¡¡Aer!! ¡¡Soy yo, Bipa!! ¡Espérame!

Espérame... espérame... espérame...

Nuevamente, no se produjo ninguna reacción en él. Bipa empezó a temer que se hubiese quedado sordo.

—¡Voy a buscarte! —le gritó—. ¡Enseguida voy!

Voy... voy... voy...

Bipa corrió a lo largo del precipicio hasta que llegó a la altura de Aer.

Ahí comprobó, con creciente angustia, que no había modo de cruzar. Era tal y como parecía: Aer caminaba en el aire, avanzaba hacia la otra orilla del Abismo, flotando con la ligereza despreocupada de una nube.

Otra vez oyó la voz de Lumen desde su recuerdo.

«Porque si cruza al otro lado, Bipa, ya no tendrás modo de llegar hasta él.»

El pánico se adueñó del corazón de la muchacha.

—¡¡Aer!! —lo llamó de nuevo—. ¡Aer, espera! ¡Vuelve! ¡Por favor, Aer, no sigas! ¡Vuelve!

Vuelve... vuelve... vuelve.

El joven seguía sin reaccionar. Impasible, continuaba avanzando a través del vacío. Bipa reía y lloraba, medio histérica.

—Esto no puede estar pasando... no puede ser real... —murmuraba, caminando arriba y abajo, al borde del precipicio, como una fiera enjaulada.

Trató de recordar todo lo que Lumen le había contado acerca de aquel lugar. Que para cruzar había que volar, había dicho. Bipa apenas había prestado atención, y ahora se arrepentía. En su momento lo había considerado un disparate. Y, sin embargo, Aer estaba volando... o flotando... o caminando en el aire... Y cada vez se alejaba más y más de ella.

No podía dejarlo marchar. No, después de todo lo que había sufrido para encontrarlo.

—¡¡Aer!! —gritó de nuevo.

Los Caminantes cruzaban al otro lado, recordó. Porque no tenían miedo a la muerte. Pero tanto ella como Lumen se aferraban demasiado a la vida. Demasiado como para atreverse a saltar.

¿Sería por el Ópalo que pendía de sus cuellos? ¿El Ópalo, regalo de la Diosa, dador de vida, que incluso era capaz de animar la materia inerte? Lumen había dicho algo acerca de que aquella gema detenía el proceso de Cambio, o como mínimo lo ralentizaba.

Bipa dudó un instante. Pero la figura de Aer era cada vez más pequeña. No tenía mucho tiempo.

Se quitó el Ópalo y lo depositó sobre la nieve. Después, lentamente, se acercó al borde del barranco. Tragó saliva y miró hacia abajo. Profundo vacío y negra oscuridad. Se mareó y tuvo que cerrar los ojos.

—No puedo —sollozó—. ¿Me oyes? —le gritó a Aer—. ¡No puedo! ¡Y tú no puedes hacerme esto! ¡No puedes obligarme a saltar para alcanzarte! ¡Eres... oh, maldita sea! —estalló.

Maldita sea... maldita sea... maldita sea..., coreó el eco.

Bipa volvió a ponerse el Ópalo, con dedos temblorosos.

—Tengo miedo —le confesó a Nevado—. No puedo ir tras él. Pero entonces... todo lo que he hecho... ¿no ha servido para nada?

La simple idea de volver con las manos vacías y desandar todo aquel camino la angustiaba. Pero no podía hacer otra cosa que quedarse allí, al borde del Abismo, mirando cómo Aer se iba para siempre.

—Estúpido... —masculló—. Cómo has podido ser tan tonto...

Cerró los ojos un momento, para no ver la silueta de Aer alejándose de ella. Se preguntó cómo había llegado hasta allí. Todo le parecía un mal sueño.

Recordó que tanto Maga como su padre la habían prevenido acerca de aquel viaje. Ella había respondido...

—Si el inútil de Aer ha sido capaz de sobrevivir ahí fuera, yo también podré hacerlo —murmuró, repitiendo aquellas palabras que ahora le parecían tan lejanas.

Inspiró hondo. Y una vocecilla susurró en su cabeza: «Bueno, Aer está volando, ¿no? ¿Por qué no podrías hacerlo tú?»

La respuesta le llegó del propio Aer, a través de su recuerdo: «¡Eres la más opaca de todos los opacos!».

Los etéreos vuelan, comprendió. Los etéreos han aprendido a no depender de las limitaciones de su cuerpo. No duermen, no comen, no sienten frío, no sufren... No caminan por el suelo.

¿Significaba eso que Aer era ya uno de ellos?

Con el corazón encogido, contempló la figura del joven suspendido sobre el Abismo. «Se ha lanzado a la sima», pensó.

—Puede que su cerebro sí se haya vuelto etéreo —comentó desdeñosamente—. Pero él todavía parece... corpóreo.

Tal vez fuese ya translúcido, como Lumen. Pero no podía haber Cambiado todavía. No con ese aspecto. «Y sin embargo, vuela. O flota. Si él puede hacerlo, tú también», insistió la vocecita.

Bipa tragó saliva. Avanzó un paso. Sintió el Abismo en la punta del pie, y retrocedió de nuevo.

—No puedo —murmuró—. No puedo.

Y entonces, la neblina borró el contorno de Aer y su figura se perdió en la lejanía.

—¡¡Aer... no!! —gritó Bipa, horrorizada.

No podía perderlo... no podía perderlo...

Eso fue lo último que pensó, lo único en que pensó, antes de arrojarse al vacío.

No tuvo tiempo de prepararse, de imaginar que volaba o de esforzarse por volverse más etérea. La caída contrajo su estómago y la inundó de una espantosa sensación de pánico.

Y, tras sólo unos segundos cayendo al vacío, el vacío acudió a su encuentro y la retuvo en el aire con un doloroso golpe. Bipa gritó al ver el Abismo a sus pies. Su horrorizada mente tardó un poco en asimilar que se apoyaba sobre algo sólido. Algo sólido, frío, pulido e invisible... O, mejor dicho, transparente.

Sus sospechas se vieron confirmadas cuando Nevado aterrizó junto a ella con cierta torpeza. Bipa rió entre lágrimas, dividida entre el nerviosismo y la alegría.

Después de todo, sí había un puente. Un puente de cristal.

—Sabía que Aer no es tan especial como pretendía hacerme creer —dijo, triunfal.

Se puso en pie con cuidado. Quiso echar a correr tras el joven, pero la prudencia se lo desaconsejó. Al fin y al cabo, no podía ver el puente y no sabía cuáles eran sus límites. Un paso en falso y acabaría cayendo al vacío de verdad.

De modo que Bipa reanudó la marcha, siempre seguida por Nevado, en pos de Aer, cruzando el Abismo.

La travesía se le hizo eterna. Tenía que caminar con cierta lentitud, pero hacía ya rato que había perdido de vista a Aer, y la exasperaba no poder correr tras él.

Cuando por fin, horas más tarde, puso los pies al otro lado, exhaló un suspiro de alivio.

La estepa continuaba sólo un poco más. Después, se convertía en una llanura de cristal, y más allá, el suelo se resquebrajaba en grandes placas flotantes que daban paso a un inmenso mar, liso como un espejo.

Bipa miró a su alrededor, buscando, desesperada, señales de Aer entre la niebla.

Pero no vio a nadie.

Pero no oyó a nadie.

Ni la más mínima brizna de brisa peinaba sus cabellos ni pellizcaba la superficie del mar. Bipa quiso gritar llamando a Aer, pero no se atrevió. Tenía la sensación, totalmente irracional, de que algo terrible sucedería si se atrevía a turbar el silencio sobrenatural de aquel lugar.

Parecía que la niebla se disipaba sobre el agua. A lo lejos, la Estrella lucía en el cielo, como un inmenso broche de hielo. Era mucho más grande, mucho más brillante y mucho más inquietante que la primera vez que la vio.

Y ejercía sobre ella una misteriosa fascinación.

Echó a andar sin dudarlo más. Tenía que ir al lugar que le señalaba la Estrella, se dijo. Era la única dirección que podía haber tomado Aer, aunque ello supusiera atravesar el mar. Pero —pensó, de una manera entre lógica y absurda—, si Aer había caminado suspendido en el aire, bien podría caminar sobre las aguas.

El mar resultó estar más lejos de lo que Bipa había calculado, pero ella no detuvo la marcha. La nieve fue desapareciendo del suelo, poco a poco, hasta que la muchacha se encontró caminando sobre un terreno que al principio tomó por hielo, pero que enseguida descubrió que era puro cristal. No se hizo preguntas ni se planteó qué haría cuando llegase a la orilla, ni por qué razón había perdido la pista de Aer otra vez.

El brillo azul de la Estrella parecía ser la única pregunta, y la única respuesta. No habría sabido decir cuánto tiempo permaneció caminando sobre aquella interminable estepa de cristal. Avanzaba como en trance, sin ser consciente del hambre y de la sed, ni tampoco del calor que le producía la ropa que llevaba, y que ahora resultaba excesiva para la temperatura del ambiente.

En algún momento, desde algún rincón de su mente, la vocecita de su conciencia expresó su preocupación acerca de las distancias: no era posible que el mar estuviese tan lejos. Tal vez fuera sólo una ilusión.

Pero Bipa no le hizo caso y siguió andando. Tampoco escuchó al sentimiento de inquietud que le insinuaba que la luz de la Estrella la tenía hechizada, hipnotizada; y que, si llegaba a alcanzar el mar, no podría detenerse y perecería ahogada en sus aguas de espejo.

Por fin un extraño sonido fue sacándola lentamente de su trance. En aquel inmenso desierto de cristal, ni siquiera sus pasos resultaban audibles. Pero poco a poco fue consciente de que llevaba un buen rato oyendo un molesto sonido rítmico: *chof... chof... chof...*

Aquel ruido la distraía de su estado contemplativo. Trató de ignorarlo.

Chof... chof... chof...

Por fin, pareció despertar de un sueño y se detuvo, exasperada, para descubrir el origen de la molestia.

El ruido enmudeció en el mismo instante en que ella interrumpió sus pasos.

Bipa parpadeó. La Estrella requería de nuevo su atención, la llamaba, como un poderoso canto de sirena, para conducirla directamente al palacio de la Emperatriz; pero la muchacha ya había girado la cintura buscando el origen de aquel sonido, y otra imagen captó su mirada y se instaló en su retina, de donde nunca más volvería a desaparecer.

Nevado.

En cuanto Bipa lo vio, volvió a la realidad de forma brusca y brutal. Se olvidó por un momento de la Estrella, de Aer y de todo lo demás, mientras su conciencia recomponía las piezas de un rompecabezas que no era tan difícil de resolver, y que habría completado mucho antes, de no haber estado hipnotizada por aquel astro de despiadada luz azul. El *chof... chof... chof...* era el sonido de los pasos del gólem de nieve, cuyas formas eran ya apenas reconocibles. La temperatura del ambiente había ido subiendo durante el trayecto, pero Bipa no había sido consciente de ello, o, al menos, no tanto como para darse cuenta de lo que eso supondría para su amigo.

Nevado se estaba derritiendo. Su piel mostraba una textura acuosa, como si sudase copiosamente. Sus manos eran dos muñones. Sus pies quedaban ahora a la altura de lo que habían sido sus rodillas. En su rostro ya casi no se podían apreciar los dos huecos hundidos que tenía por ojos. Parecía empequeñecido, febril y más frágil que nunca.

Y, no obstante, la había seguido hasta allí, fiel hasta el final.

Bipa dejó escapar un grito de angustia que resonó en aquel páramo desolado como el aullido de un fantasma. Con precipitación, tomó el Ópalo y trató de colocarlo sobre el pecho de Nevado; pero la gema se hundió en su cuerpo igual que si fuese de mantequilla.

—¡Tengo que sacarte de aquí! —gritó.

Tomó la mano de Nevado con cuidado, lo justo para retenerla sin destrozarla, y tiró de ella suavemente, para hacerle ver al gólem que quería que la siguiera.

Y emprendió una precipitada marcha en dirección contraria a la que llevaba hasta la Estrella, arrastrando a Nevado tras de sí. Su mente trataba frenéticamente de recordar cuándo lo había visto en perfectas condiciones por última vez. Quizá después de cruzar el Abismo... ¿Y cuánto tiempo había pasado desde entonces? ¿Serían capaces de alcanzar de nuevo la zona en la que todavía hacía el frío suficiente como para que Nevado siguiese entero? ¿O era ya demasiado tarde?

Bipa no quería ni planteárselo. Notaba que la mano de Nevado era cada vez más blanda, y que sus propios dedos estaban cada vez más empapados.

—¡Corre, corre, corre...! —le gritaba al gólem, mientras luchaba con todas sus fuerzas para alejarlo de aquella Estrella que, contra todo pronóstico, había resultado irradiar un calor que era letal para él.

Pero la alocada carrera no duró mucho. De pronto, Bipa sintió un tirón, y cuando quiso darse cuenta se había quedado con la mano del gólem entre sus dedos... Una mano que ahora no era más que un bulto de nieve informe y acuoso.

Bipa la contempló un momento, conmocionada, y luego alzó la mirada. Deseó no haberlo hecho.

Nevado se había caído. Ya casi no le quedaban piernas, y trataba de incorporarse con los muñones de sus brazos. La cabeza era apenas una protuberancia amorfa entre sus hombros. Su esencia seguía fluyendo, en estado líquido, sobre lo que quedaba de su cuerpo.

Cuando miró a Bipa, con el rostro empapado, pareció que lloraba.

Ella lloró también.

Se arrodilló junto a él y trató de recomponerlo, a pesar de que sabía que era inútil. Lo que quedaba de Nevado se derretía entre sus dedos.

—Tiene que haber... una... manera... —farfullaba Bipa.

Pero cada vez había menos nieve y, por el contrario, el charco de agua sobre el que se encontraba el gólem se extendía más y más.

Por fin, la chica se rindió. Abrazó con cuidado la cintura de Nevado, que ahora era delgada y frágil, y apoyó la cabeza sobre su pecho, cada vez más blando. Se dio cuenta de que su calor corporal contribuiría a derretir el cuerpo del gólem más deprisa, por lo que trató de apartarse. Pero Nevado no se lo permitió. Bipa sintió que pasaba los restos de sus brazos sobre los hombros de ella, para retenerla a su lado. El gólem de nieve no quería quedarse solo.

—No te dejaré —le prometió entre lágrimas—. No te dejaré... —su voz se ahogó en un sollozo—. Eres... un... estúpido —balbuceó como pudo—. ¿Por qué has tenido que seguirme hasta aquí? ¿Por qué?

Furiosa, arrancó el Ópalo de su cuello y lo arrojó lejos de sí. Aquel objeto había revivido a Nevado y lo había rescatado de las garras del olvido, pero también era, muy probablemente, la causa de que el gólem la siguiera a todas partes, movido por una atracción similar a la que arrastraba a Aer, a Bipa y a tantos otros hacia los dominios de la Emperatriz.

Sin embargo, Nevado no mostró ningún interés en el Ópalo caído. Seguía abrazando a Bipa.

—Eres... un estúpido —sollozó ella, conmovida.

Estaba empapada, pero no se le ocurrió intentar apartarse otra vez.

Así, lentamente, Nevado se licuó entre sus brazos hasta que ya no fue más que un informe montoncito de nieve blanda. Pese a ello, Bipa se quedó allí, llorando, contemplando impotente cómo los restos de Nevado seguían derritiéndose sin remedio. Pronto, del leal gólem de nieve no quedó más que un charco de agua sobre el suelo de cristal.

La muchacha deseó haberse llevado una botella del taller de Lumen. Tal vez podría haber recogido un poco de agua y logrado congelarla a su regreso, quizá...

Sacudió la cabeza, abrumada por la pena. Sabía, en el fondo, que Nevado ya no existía. Se había ido, había desaparecido del todo, y aquel charco de agua era sólo agua.

Con todo, deseó poder conservar aunque sólo fuera un poco, como recuerdo. Rozó el charco con la punta de los dedos y se los llevó a los labios en un último beso de despedida.

Cerró los ojos, demasiado abatida como para seguir adelante. Y allí se quedó, tal vez una hora, tal vez dos, no habría sabido decirlo. Cuando abrió los ojos otra vez, ya ni siquiera quedaba agua. El gólem había desaparecido por completo.

Bipa se levantó y, agobiada por la pena, clavó la vista en la Estrella que atraía a Aer irremediablemente.

—¡Mira lo que ha pasado por culpa tuya! —gritó con voz ronca, y no sabía si se dirigía a Aer, a la Estrella o a la Emperatriz—. ¡Aer! —lo llamó—. ¡Cuando te encuentre te voy a llevar a casa a rastras, lo quieras o no! ¿Me oyes? ¡Y ya no me voy a molestar en preguntarte!

Se le quebró la voz. Aquel viaje había sido una locura desde el principio, Bipa lo sabía; pero ahora, tras la desaparición de Nevado, sentía que necesitaba darle un sentido. Si no encontraba a Aer, si no lo llevaba de vuelta, el sacrificio del gólem habría sido en vano.

Se secó las lágrimas, cargó con sus cosas y se puso en marcha de nuevo.

XII

El Mar de los Líquidos

Caminó y caminó, durante varios días y varias noches. En realidad, apenas fue consciente del paso del tiempo. Ya no sentía sueño, ni hambre, ni sed, ni cansancio. Simplemente avanzaba hacia la Estrella, hacia el palacio de la Emperatriz.

Tan sólo se detuvo cuando alcanzó el mar por fin. La superficie cristalina sobre la que caminaba se resquebrajaba cerca de la orilla, formando enormes placas que flotaban sobre el agua. Algunas de ellas seguían unidas al suelo firme. Otras se desprendían de la orilla y se perdían en el mar.

Era un espectáculo de rara belleza: el suelo de cristal descomponiéndose en placas de todos los tamaños que navegaban por la superficie de aquel océano liso y transparente. Pero Bipa estaba demasiado ausente como para darse cuenta. Detuvo sus pasos cuando el suelo vibró bajo sus pies y el trozo de cristal sobre el que se apoyaba se separó del resto con un chasquido. Bipa se quedó inmóvil un momento. El cristal flotó sobre el agua, lentamente al principio, luego más deprisa, alejándose de tierra firme. Pero Bipa no sintió miedo. Cayó de rodillas sobre la improvisada balsa y se dejó llevar.

El cristal flotaba en dirección a la Estrella, como si ésta lo atrajera también. Pronto, Bipa perdió de vista el continente; o lo habría perdido de vista si se hubiera tomado la molestia de mirar atrás.

Navegó por un océano limpio y puro, en cuya superficie lisa como un espejo no se apreciaba ni una sola ola. Navegó bajo un cielo iluminado día y noche por aquella fría luz azul.

Pero no estaba sola. Formas fluidas y cambiantes se deslizaban bajo el agua, acompañándola. Ella no les prestó atención. Si lo hubiese hecho, habría descubierto que eran demasiado transparentes como para ser realmente peces. Además no parecían poseer una silueta definida, sino que se alargaban, se contraían, se estiraban, se fusionaban unas con otras para formar una mayor o desaparecían, fundiéndose con el agua.

Con el tiempo, aquellas criaturas dejaron de seguir a la balsa de cristal de Bipa.

Pero aparecieron otras. Y éstas eran más grandes y consistentes. Parecían enormes peces, fusiformes, de poderosas aletas. La seguían saltando fuera del agua, y al emerger y volver a sumergirse, apenas formaban ondas en la lisa superficie del mar. Cuando Bipa, atraída por las esbeltas siluetas que saltaban a su alrededor, se volvió para mirarlas, descubrió que aquellas criaturas estaban hechas de agua pura.

Trató de tocarlas. Se retiraban, juguetonas, pero alguna de ellas se dejó acariciar. Cierto. Tenían formas de peces, grandes y esbeltos, pero eran completamente líquidas.

Aquél era el primer contacto de Bipa con el mar. No podía saber, por tanto, que aquellos peces no eran realmente peces, sino delfines, delfines de agua que seguían saltando y riendo como lo habrían hecho de haber sido sólidos aún. En cualquier caso, Bipa no trató de ahuyentarlos, porque le reconfortaba su compañía.

El viaje continuó, monótono. Los delfines de agua seguían saltando a su alrededor, pero Bipa dejó de prestarles atención.

En el horizonte, la Estrella azul seguía iluminando aquel océano eterno. Y pronto Bipa se dio cuenta de que, si no hacía algo, no tardaría en pasar a formar parte de él.

Porque su balsa de cristal también se estaba licuando, como si estuviera hecha de hielo. Poco a poco se fundía con el agua, volviéndose cada vez más pequeña. Bipa se encogió sobre sí misma.

Nunca había aprendido a nadar, pero, extrañamente, no era eso lo que más le preocupaba. Era aquella agua, tan pura, tan transparente. Algo en su corazón temía que ella misma llegaría a formar parte de aquel mar silencioso. Que se licuaría, igual que Nevado. Tal vez se convertiría en un pez de agua, o tal vez en millones de gotas que se fundirían con el océano.

Mientras, el cristal de su balsa seguía derritiéndose. Bipa se puso en pie para tratar de ocupar lo menos posible. Sabía, no obstante, que era inútil. Pronto, su balsa desaparecería y ella se hundiría en el agua.

Alzó la mirada para clavarla en el horizonte. Descubrió, esperanzada, que había algo más allá. ¿Tal vez tierra firme? Era difícil saberlo desde tan lejos. Bipa se inclinó hacia adelante, intentando adivinar qué era aquella extensión que se apreciaba en la lejanía, pero perdió el equilibrio y, antes de que se diera cuenta, cayó al agua.

Lanzó una exclamación de angustia cuando el mar se la tragó. Manoteó, aterrada, e intentó volver a subirse a su balsa de cristal; pero ésta era ya demasiado pequeña para sostenerla.

Instintivamente, abrió la boca para pedir ayuda; pero las aguas la envolvían, la empujaban, la succionaban; tiraban de ella como si fuesen un ente vivo.

Sintió un movimiento a su alrededor, y le entró el pánico. Pero no era el agua, o, al menos, no la del océano. Eran aquellos extraños delfines, fluidos y transparentes. Hacían piruetas en torno a ella, y Bipa habría jurado que se reían. Trató de aferrarse a sus lomos plateados, pero no lo consiguió. Sus cuerpos líquidos no estaban hechos para ser tocados o acariciados. Los dedos de Bipa traspasaron la piel de agua de uno de ellos, y la muchacha pataleó, tratando de recuperar el equilibrio para no hundirse todavía más. Allí no había truco. No podría caminar sobre el agua, de forma similar a como había caminado sobre el Abismo. Era demasiado opaca todavía, comprendió. Demasiado corpórea, demasiado pesada. Y por eso iba a morir.

A los dominios de la Emperatriz no podía llegar cualquiera.

Intentó apartar aquellos pensamientos de su mente y luchó por mantenerse a flote. Sentía que el agua mordía su piel, arrancando pedazos de su esencia, si es que ello era posible.

Por fin, cuando ya estaba convencida de que no aguantaría ni un instante más, algo tiró de ella y la sacó del agua.

Bipa tosió, jadeó y pataleó en el aire, entre aliviada y aterrorizada. Sus pies rozaban la superficie del agua sin llegar a hundirse en ella, y por un momento creyó que era verdad que había aprendido a caminar sobre el mar. Pero la lógica se impuso a la ilusión para recordarle que «algo» la había sacado del agua y todavía la sostenía.

Volvió la cabeza.

Tras ella se alzaba una persona cuyos rasgos parecían cincelados en cristal. Por un instante la confundió con uno de los golems animados por Lux; pero enseguida se dio cuenta de que era un ser de carne y hueso; sus facciones eran humanas, demasiado suaves y detalladas como para haber sido esculpidas sobre un prisma de cristal. Sin embargo, aquella persona era casi completamente transparente, y su cuerpo tenía un extraño aspecto fluido. Bipa temió que fuera un ser de agua, como los delfines que la habían acompañado hasta allí, y, en un arranque de pánico, tuvo miedo de que la dejara caer. Se aferró a su muñeca por instinto y descubrió, con alivio, que aquella persona era sólida, aunque extrañamente blanda. Se miraron un instante. Bipa no podía dilucidar si era hombre o mujer. Sus rasgos eran muy finos, al igual que su cabello, que caía a ambos lados de su rostro, ondulándose de forma similar a la cresta de una ola, y casi igual de fluido. Sus ojos parecían diamantes líquidos.

—Pesas mucho — comentó el ser, con una voz ligera como un arroyo.

Ni siquiera por su tono pudo deducir Bipa su sexo. Quiso disculparse por su propia corporeidad, tan evidente comparada con la de su salvador o salvadora; sin embargo él, o ella, no le dio tiempo a hablar: ante el horror de la muchacha, la dejó caer al agua con un sonoro chapoteo; pero la sostuvo por la ropa, manteniendo su cabeza por encima de la superficie.

Entonces dio media vuelta y echó a andar, arrastrando a Bipa tras de sí.

Y, en efecto, caminaba sobre el agua, sin hundirse, deslizando sus pies ligeros por encima de la lisa superficie del mar. Bipa, maravillada, se dejó llevar.

Su propio cuerpo creaba una estela sobre las aguas, partiéndolas en dos, pero la persona que la remolcaba apenas le prestaba atención. Bipa descubrió que los delfines de agua, ligeros como flechas plateadas, los seguían a cierta distancia, saltando y fusionándose con el mar sin apenas alterar su superficie.

«Soy tan... corpórea...», pensó antes de hundirse en un extraño sopor.

La despertó el rumor de una cascada y la sensación de estar pisando, por fin, suelo firme. Abrió los ojos lentamente.

Lo primero que vio fue un techo fluido, en constante movimiento, una bóveda de agua que ocultaba el cielo sobre ella. Fascinada, miró a su alrededor.

Estaba en un habitáculo que parecía más bien una larga galería. Tanto las paredes como el techo eran líquidos, un túnel de agua que parecía brotar del suelo de cristal, se curvaba sobre ella y volvía a caer un poco más allá, cerrando el espacio. Había también pequeños surtidores que lanzaban alegres chorros al aire, y lugares donde el suelo de cristal volvía a ser totalmente líquido.

Y estaban ellos.

Había tres personas como la que había rescatado a Bipa del mar. Todas eran transparentes, y tan parecidas que costaba diferenciarlas unas de otras. Al principio, Bipa pensó que tal vez se tratara de unos hermanos, como Lumen y Lux. Después, al mirarlos mejor, descubrió que lo que los hacía tan similares no eran sus rasgos faciales, que podía diferenciar si se fijaba bien, sino la misma falta de expresividad en sus rostros.

Habría creído que eran golems especialmente bien diseñados de no haber visto auténticos golems junto a ellos.

Pero qué golems. Eran criaturas esbeltas, fluidas y cambiantes, sin rostro, sin solidez; eran puras, transparentes y se movían con una gracia sobrenatural, como si no estuviesen atados a las leyes físicas.

Y en realidad no podían comportarse como cuerpos sólidos, porque no lo eran.

Golems de agua.

Como los delfines que Bipa había visto en el mar, pero con un cierto aspecto humanoide. A Bipa le parecieron hermosos pero también, sin saber por qué, le produjeron escalofríos.

Una de las personas de verdad se adelantó.

—Te rescatamos en el mar —dijo, con una voz líquida, similar al rumor de una cascada —. Pero no eres como los otros. ¿Qué eres?

Bipa cerró los ojos un momento. «¿Quién soy?», se preguntó. Luchó por mantener a flote sus recuerdos, que estaban a punto de ser engullidos por el océano de su memoria: las Cuevas, la gente que conocía, todo lo que había vivido a lo largo de su viaje.

—Soy Bipa —dijo por fin, con voz resuelta—. Vengo de las Cuevas y voy en busca de mi amigo Aer. ¿Le habéis visto?

Los tres se miraron unos a otros.

—No, si era como tú —dijo uno de ellos.

—¿Como yo? ¿En qué sentido?

—Vienen muchos Caminantes al Mar de los Líquidos —dijo otro—. Pero nadie como tú. Eres demasiado opaca como para estar aquí.

—Ya me lo habían dicho —manifestó Bipa algo alicaída; luego levantó la cabeza, repentinamente interesada—. ¿Qué queréis decir, entonces? ¿Que Aer ya no es opaco, o que no ha pasado por aquí?

Los tres volvieron a mirarse.

—No lo sabemos —dijo el tercero—. Todos los Cambiantes son iguales. Sólo tú eres diferente.

—¿Pero no os dijo al menos cómo se llamaba?

Los tres movieron la cabeza al unísono, con un ruido similar al de un chapoteo.

—Sólo los opacos y los translúcidos tienen nombres. Los transparentes no los necesitamos. Y los etéreos, tampoco.

Bipa se estremeció.

—¿Queda muy lejos el palacio de la Emperatriz?

Uno de los transparentes señaló hacia el final del túnel.

—Al otro lado está la región de los etéreos —dijo—. En su centro se alza la morada de la Emperatriz.

Bipa tembló. En ningún momento de su viaje había pretendido llegar tan lejos. Y ahora sabía que, si quería alcanzar el palacio de la Emperatriz, el corazón del país de los etéreos, tendría que Cambiar. Completa e irremediablemente.

Y no estaba preparada para ello. Ni siquiera por Aer.

Reflexionó. Antes de internarse por aquel túnel debería asegurarse de que, en efecto, Aer lo había recorrido antes que ella. Volvió a repasar con la mirada a sus tres anfitriones, y, como ya sospechaba, encontró un elemento distintivo en uno de ellos: sobre la frente portaba un Ópalo similar a una gran gota de rocío. Se dirigió a ése, al que mentalmente decidió bautizar como «Uno».

—¿No hay ninguna manera de saber con seguridad si mi amigo pasó por aquí?

Uno parpadeó.

—Mucha gente pasa por aquí —dijo—, pero nadie permanece con nosotros mucho tiempo. Todos Cambian; se convierten en etéreos y se van al palacio de la Emperatriz.

—¿Cuánto tiempo? —se impacientó Bipa.

Dos señaló la bóveda de agua que los cubría.

—Los que rechazan la protección del agua Cambian más deprisa —dijo.

—Los que salen al exterior son sólo quienes no se sienten preparados aún —corroboró Tres.

—Porque el camino más rápido hacia la Emperatriz es ese túnel —concluyó Uno—, pero no todo el mundo puede ir por ahí.

Bipa trató de ordenar aquella información para extraer de ella datos útiles.

—Queréis decir —aventuró— que si Aer era aún demasiado opaco, estará todavía dando vueltas por ahí fuera. Y si ya estaba preparado cuando llegó, si Cambió lo suficiente, entonces habrá seguido por el túnel en dirección al país de los etéreos. ¿Es así?

Uno, Dos y Tres asintieron al unísono.

—Pero tú no puedes seguir por ese túnel —dijo Uno, adivinando cuáles eran sus intenciones—. Eres demasiado...

—... Opaca —se adelantó Bipa.

—... Consistente —terminó Uno.

Opaca, consistente, corpórea, sólida... A fin de cuentas, todo venía a significar lo mismo. Bipa alargó la mano para tocar al humano más cercano a ella, que era Tres. Palpó su brazo y lo encontró blando, gelatinoso. Alzó su mano para mirarla a contraluz.

Transparente.

Suspiró. Lo había sabido prácticamente desde su llegada a la Ciudad de Cristal, al territorio de los translúcidos, pero la realidad nunca la había golpeado con tanta fuerza como hasta ahora. En eso consistía el Cambio. En eso se estaba convirtiendo Aer, por voluntad propia.

¿Qué clase de criatura sería él, ahora mismo? ¿Sería tan transparente como los habitantes del País de los Líquidos? ¿Lo reconocería?

Levantó su propia mano para contemplarla. Era blanca, y pálida, tanto que podía ver las venas que la recorrían. Pero no era transparente, ni siquiera translúcida. Todavía.

Cerró el puño en un gesto de frustración. ¿Hasta dónde tendría que seguir a Aer? ¿Qué más perdería en el intento?

Contempló a sus anfitriones con gesto crítico.

—Os habéis vuelto blandos y transparentes —observó—. ¿Por qué seguís aquí? ¿Acaso no deseáis Cambiar del todo?

Hubo un denso silencio, sólo enturbiado por el rumor del agua.

—Hace falta valor para Cambiar —dijo Dos.

—Bien —murmuró Bipa—. Espero, pues, que Aer sea lo bastante cobarde como para haberse quedado por aquí, en los túneles de agua.

Los tres la miraron como si hubiese dicho una blasfemia.

—Pero lo dudo —continuó Bipa, impertérrita—. A menudo la estupidez se confunde con la valentía, y tengo que admitir que Aer es bastante estúpido.

Sin embargo, contempló el túnel con aprensión. Por muchas maravillas que le hubiesen contado acerca de la Emperatriz, cada vez estaba menos segura de querer conocerla.

—Hay un medio de averiguar si tu amigo pasó por aquí —dijo entonces Uno.

Bipa se volvió inmediatamente hacia él.

—¿En serio? ¿Cuál es?

—Sígueme —le indicó el transparente.

Dio media vuelta y se internó por uno de los túneles de agua.

Bipa lo siguió.

Caminaron bajo aquella bóveda líquida durante tanto tiempo que la joven se preguntó si ya habría anochecido. No había modo de saberlo: la Estrella de la Emperatriz alumbraba el cielo día y noche. No existía la oscuridad en sus dominios.

No obstante, Bipa se sentía aliviada de que aquella pantalla acuática la protegiese de la fría mirada del ojo azul. El túnel de agua seguía discurriendo sobre su cabeza, y en la fina cortina transparente Bipa podía apreciar pequeñas formas fluidas que parecían peces. Trató de tocar algunos de ellos, pero la punta de sus dedos siempre los atravesaba. También aquellos diminutos pececillos eran líquidos como los golems, como la bóveda que cubría sus cabezas.

—Es otra fase del Cambio —le explicó Uno, adivinando lo que pensaba—. Todas las criaturas de nuestra tierra acaban por volverse líquidas. Por eso nos resguardamos en los túneles. Si te vuelves líquido antes de tiempo, ya no puedes llegar hasta la Emperatriz.

Bipa recordó a Nevado, y se entristeció. Pero había algo en las palabras de Uno que despertó su interés.

—Antes has dicho que fuera de los túneles se Cambia más deprisa —recordó—. Y ahora vuelves a hablar de resguardarse en ellos. ¿Por qué? ¿Qué es lo que hace Cambiar a la gente?

Uno pareció confuso por un momento.

—Su voluntad de Cambiar, naturalmente —dijo—. Si sales al Exterior es porque deseas Cambiar. Si tienes miedo, te quedas aquí, a cubierto.

—¿A cubierto de qué? —insistió Bipa.

Uno no respondió.

—Lo que dices no tiene sentido —volvió a la carga ella—. La voluntad de Cambiar se puede demostrar igualmente siguiendo el camino que lleva hasta la Emperatriz. Pero tú has dicho que para emprender ese camino hay que Cambiar primero.

—Hay diferencias —replicó Uno—. Tú quieres ir por ese camino. Pero no quieres Cambiar.

Bipa no supo qué decir.

Por primera vez a lo largo de su viaje comenzaba a plantearse los motivos del Cambio. Sabía que era un requisito indispensable para llegar hasta la Emperatriz, pero... ¿cómo se producía? ¿De verdad bastaba con desearlo?

«Yo no lo deseo», se dijo. Y, ciertamente, seguía siendo opaca. Pero no tanto como antes. Contempló las puntas de su propio cabello; antes eran de color castaño oscuro, pero ahora se habían vuelto blancas como la nieve.

«Estoy Cambiando —pensó—. No tan deprisa como debería, tal vez. O quizá estoy pasando demasiado deprisa de un lugar a otro. Con mi aspecto, debería estar todavía en la casa de Gélida o en la Ciudad de Cristal, no aquí. Y, sin embargo, estoy Cambiando.»

—¿Cuánto tiempo llevas aquí? —le preguntó a su anfitrión súbitamente.

El otro pareció sorprenderse ante la pregunta y la miró, confuso.

—¿Tiempo? —repitió, como si fuese un concepto desconocido para él.

Bipa señaló el Ópalo cristalino que lucía sobre su frente.

—Con eso das vida a los golems de agua —dijo—. Si tienes una responsabilidad semejante no puedes ser un recién llegado.

Uno tocó el Ópalo con la yema del dedo, casi como si se sorprendiera de encontrarlo ahí.

—No mucho tiempo —contestó—. Porque, de lo contrario, me habría vuelto totalmente líquido. Como Todo.

Bipa parpadeó. Uno había pronunciado la palabra «Todo» de una forma especial, como si se refiriese a alguien en concreto, y no a algo abstracto.

—¿Todo? ¿Qué es Todo?

—Aquel a quien vamos a ver.

Bipa se sintió inquieta de pronto.

—¿Se llama Todo? ¿Por alguna razón en especial?

—Porque lo es Todo —replicó Uno, con cierta brusquedad—. Y deja ya de hacer preguntas. Me obligas a pensar.

—Claro, eso explica muchas cosas —murmuró Bipa con cierta sorna.

Pero Uno no respondió. Llegaron por fin a un enorme espacio delimitado por paredes de agua, que brotaban del suelo como poderosos surtidores y se unían sobre sus cabezas formando una cúpula líquida de estremecedora belleza. Con todo, el espacio estaba bastante seco, y Bipa dio un par de pasos al frente para adentrarse en él. Se detuvo al ver que Uno no la seguía.

—Te espero aquí —dijo el transparente—. El gólem te acompañará.

Bipa detectó la presencia de un gólem de agua que avanzaba hacia ella. Había emergido directamente de la pared líquida, o tal vez había estado oculto tras ella. La muchacha no lo sabía, y prefirió no preguntar.

Siguió al gólem que, con movimientos fluidos y elegantes, la conducía hacia el centro de la sala. Bipa miró a su alrededor, esperando encontrar al tal Todo, o, al menos, una puerta que la condujese hasta él. Pero aquel lugar estaba vacío. Lo único que había era un gran estanque excavado en el suelo.

El gólem de agua se detuvo junto a la orilla.

—¿Qué? —se impacientó Bipa—. ¿Dónde está Todo?

El gólem volvió su rostro sin rasgos hacia el agua del estanque.

—¿Qué se supone que debo hacer? —interrogó Bipa, perdiendo la paciencia.

Se arrodilló sobre el suelo de cristal, junto al estanque. Tal vez tuviera que beber de sus aguas. Inquieta, cayó en la cuenta de que hacía mucho que no bebía ni comía nada. Y tampoco sentía deseos de hacerlo.

Rozó la superficie con la punta de los dedos, produciendo en ella una gran ondulación. Con sorpresa y algo de aprensión, Bipa observó que las ondas seguían una trayectoria antinatural, concentrándose en un solo punto, hasta formar un rostro líquido que emergía directamente del agua, hierático, inexpresivo, como los del túnel de las máscaras de cristal.

—¿Eres... Todo? —osó preguntar Bipa.

El rostro habló, no con una voz humana, sino con el sonido del agua que fluye:

—Así me llaman.

—¿Por qué?

—Porque soy el agua —repuso aquella voz líquida—. Porque mi ser puede contraerse en este estanque o expandirse para tocar hasta la última gota del océano. Porque puedo recorrer en un instante toda la región de los Líquidos, por debajo de nuestros frágiles suelos de cristal. Por eso soy Todo. Y por eso me llaman Todo.

—Pero me miras desde la cara de una persona —dijo Bipa, sobrecogida, recordando las palabras de Uno—. ¿Fuiste una vez alguien sólido?

—Sí —respondió Todo—, pero permanecí demasiado tiempo en este lugar y Cambié demasiado deprisa. Me licué, me mezclé con el agua y ya no puedo Cambiar más. Y por eso —continuó—, dedico gran parte de mis esfuerzos a mantener los túneles de agua.

Bipa alzó la cabeza para contemplar la fantástica cúpula líquida.

—¿Los has hecho tú?

—Es parte de mí.

Bipa quiso preguntarle por los golems de agua, por el Cambio, por la Estrella... por tantas cosas que no conocía, tantos misterios para los cuales Todo podía tener las respuestas; pero temía que aquel ser fluido desapareciese, fundiéndose en el agua en cualquier momento, por lo que se limitó a hacerle la pregunta más acuciante:

—Estoy buscando a un amigo mío. Se llama Aer. ¿Ha pasado por aquí?

—No lo sé —respondió Todo—. No puedo saberlo si no lo he visto antes.

—Puedo describírtelo —se apresuró a responder Bipa.

—Es inútil —sonrió Todo—. Para cuando llegan a este lugar, todos los Cambiantes son iguales. Pero déjame verlo a través de tus ojos. Acércate.

Bipa se inclinó sobre el agua, con precaución.

—Acércate más —ordenó Todo.

Bipa obedeció. Cuando su nariz casi rozaba ya la superficie del estanque, el rostro líquido de Todo desapareció para volver a emerger justo bajo el suyo. Los labios de Todo se fundieron con los suyos y, cuando Bipa lanzó una exclamación de sorpresa ante aquel inesperado beso, tragó agua sin querer. Tosió para escupirla y se alejó del estanque.

—Eso no ha sido muy amable por tu parte —comentó Todo—. ¿Quieres encontrar a tu amigo o no?

Bipa suspiró. Por toda respuesta, inspiró hondo y volvió a agacharse sobre el estanque.

De nuevo, el rostro de Todo se unió al suyo, de nuevo sus labios líquidos rozaron los suyos. Pero en esta ocasión, Bipa no se movió. Contuvo la respiración y se dejó arrastrar por la fuerza del agua, que tiró de ella hasta obligarla a sumergir la cara en el estanque. Bipa abrió los ojos, pero no vio más que oscuridad. Aguantó la respiración tanto como pudo y, cuando ya sentía sus pulmones a punto de estallar, sacó la cabeza del agua y respiró hondo, entre toses y jadeos.

El rostro de Todo volvió a emerger en la superficie del estanque.

Bipa temió que le dijese que aún no tenía suficiente, pero, por fortuna, Todo no le pidió de nuevo que sumergiera la cara en el agua.

—Lo he visto —dijo solamente.

El corazón de Bipa latió todavía más deprisa.

—¿Dónde? —inquirió.

La faz de Todo desapareció de la superficie del estanque y ésta se quedó otra vez lisa como un espejo.

Pero en el agua empezaron a reflejarse imágenes, imágenes que inundaron a Bipa de añoranza.

Allí estaban las Cuevas. Y su padre. Y Maga.

Y Aer.

Aer cargando con aquella estúpida lámina de cuarzo, Aer trepando por la colina para ver la Estrella, Aer lanzando bolas de nieve y haciendo el tonto como de costumbre, Aer derrumbándose ante su puerta...; Aer contemplando el horizonte con aquella expresión, entre nostálgica y resuelta, que vaticinaba que un día abandonaría su hogar y a su gente, tal vez para siempre.

—Es él —jadeó Bipa, casi sin aliento—. Pero son imágenes del pasado, no del presente, ¿verdad? De cuando vivíamos en las Cuevas —parecía haber pasado una eternidad desde entonces—. ¿Y dónde estoy yo?

—Al otro lado —respondió la voz borboteante de Todo—. Esas imágenes son tus recuerdos. Fuiste tú quien las registraste en tu propia memoria.

Los recuerdos seguían sucediéndose, y Bipa constató, no sin cierta vergüenza, que había mirado a Aer con mucha más atención de lo que estaba dispuesta a admitir.

Pero, en aquel momento, descubrir aquello no le importó.

—Bien —murmuró, sin poder apartar todavía los ojos de sus propios recuerdos—. Ya sabes cómo es Aer. Y ahora, dime, ¿le has visto?

Las imágenes desaparecieron de pronto, y el estanque reflejó de nuevo los rasgos de Bipa. La voz de Todo la hizo regresar a la realidad.

—Y éstos son mis recuerdos —dijo.

El estanque le mostraba ahora imágenes del país de los Líquidos, un amplio mar cristalino recorrido por una extensa red de caminos sólidos que sostenían túneles de agua. Aquellos caminos permitían que los transparentes se desplazasen sobre el agua sin hundirse, eso estaba claro. Pero... ¿por qué razón tenían que estar cubiertos por bóvedas de agua?

Dio con la respuesta casi en el instante en que Todo volvía a hablar.

—Lo has adivinado —dijo—. Los puentes de cristal han de estar cubiertos porque, de lo contrario, se licuarían como todo lo demás.

Bipa recordó cómo su balsa de cristal se había derretido como la escarcha junto al fuego.

—Es el brillo de la Estrella lo que hace que las cosas y las personas pierdan corporeidad —siguió explicando Todo—. Nada opaco debe mancillar la morada de la Emperatriz. Por eso su Estrella actúa de faro que guía a los Caminantes y de barrera para aquellos que no han Cambiado.

—Pero tú mantienes estos caminos sólidos sobre el mar —murmuró Bipa, tratando de asimilar toda aquella información—. Los cubres con cortinas y bóvedas de agua. ¿Por qué?

—Porque el agua es el único elemento que puedo manejar, en mi estado.

—No, no quiero decir eso. Preguntaba... por qué tiendes caminos sobre el mar. Si la Estrella sirve a la Emperatriz, y ella no quiere que nada sólido llegue hasta su palacio... ¿por qué ayudas a cruzar a los Caminantes?

—Porque Cambiar es un proceso largo. Muchos tardan un tiempo, y a menudo el viaje por los túneles los ayuda a Cambiar a su debido tiempo... Ni antes, ni después. Si no existieran mis túneles de agua, muchos Caminantes se quedarían en la orilla y se licuarían allí, como...

—... como golems de nieve —murmuró Bipa a media voz.

—... como me sucedió a mí —completó Todo.

—¿Tú ya no puedes llegar hasta el palacio de la Emperatriz?

—Soy Todo —dijo él con sencillez—. Para que yo pudiera dar un solo paso fuera del país de los Líquidos, el océano entero tendría que evaporarse.

El rostro desapareció de la superficie del agua, dejando una última onda, como un leve suspiro.

Pero las imágenes seguían sucediéndose, y Bipa prestó atención, porque ahora le mostraban una figura que avanzaba sobre los caminos de cristal desafiando al impertérrito mar.

Era esbelto, muy esbelto, y se movía con la gracia y delicadeza de un gólem de agua. Su cabello, completamente blanco, caía sobre sus hombros como una cascada líquida. Su rostro era pálido como la nieve. Sus ojos, dos botones de agua.

—No puede ser él —susurró Bipa—. Casi parece un fantasma.

—Es ya casi un etéreo —corroboró Todo, con un deje de melancolía en su voz—. Está a punto de alcanzar el estadio perfecto.

—¡Perfecto! —repitió Bipa, sin poder creer lo que estaba oyendo—. ¡Si... si no es ni la sombra de lo que era! ¿La Estrella le ha hecho eso? Pero... —se miró las manos, aturdida—. Pero yo he recorrido el mismo camino que él. Y sigo siendo... opaca.

—Estás anclada a la tierra —le respondió Todo, con un cierto tono de reproche—. Llevas la marca de la Diosa. Si sabes lo que te conviene, no te atreverás a acudir con ella al palacio de la Emperatriz.

—¿La marca de la Diosa? —repitió Bipa.

Se llevó una mano al Ópalo.

—Ésa es la maldición de todos los Caminantes —dijo Todo con rencor—. Muchos ansían poseer un objeto como ése, porque les da poder para animar golems. Pero al mismo tiempo mantiene corpóreos a sus portadores.

—¿Quieres decir que el Ópalo me protege de la influencia de la Estrella? —preguntó Bipa, y recordó entonces que Lumen le había dicho que los portadores del Ópalo veían frenado su proceso de Cambio—. ¿Y que por eso no he Cambiado, como lo ha hecho Aer?

—Por eso y porque no tienes voluntad de Cambiar —dijo Todo, con un cierto tono altanero—. Pero sí, es cierto —añadió, persuasivo—. Si te deshaces de ese Ópalo, Cambiarás más deprisa. Esas cosas no le gustan nada a la Emperatriz. Son las armas que la Diosa utiliza para arrebatarle súbditos.

—La Diosa es la tierra que nos sostiene —dijo Bipa, repitiendo las enseñanzas de Maga—. Es la fuerza que hace crecer las plantas, el poder que alimenta el fuego, la sangre que corre por nuestras venas. La Diosa es la vida. ¿Qué clase de persona es esa Emperatriz que tanto la odia?

Todo rió de nuevo.

—Qué poco sabes, joven opaca. Viajas en busca de la Emperatriz y no tienes ni idea de quién es ella...

—Yo no viajo en busca de la Emperatriz —corrigió Bipa, ceñuda—. Voy a buscar a Aer. No tengo la culpa de que él se haya vuelto lo bastante loco como para querer convertirse en una especie de sombra escuchimizada.

Todo sonrió.

—Sin embargo, deberías saber a qué te enfrentas. Si eres adoradora de la Diosa, acercarte a la Emperatriz no es una buena idea. Son enemigas desde tiempo inmemorial.

»Antiguamente, nuestro mundo estaba gobernado por una Diosa que recordaba constantemente a sus criaturas que estaban hechas de materia impura, que tenían cuerpos a los que debían atender. Cuerpos que nacían de otros cuerpos. Que había que alimentar. Cuerpos que crecían y envejecían, que experimentaban dolor, hambre, sed. Cuerpos que necesitaban descansar y que sentían el impulso de unirse a otros cuerpos.

»Todas las criaturas vivían esclavas de su propia corporeidad. Y, cuando, por fin, esos cuerpos morían, regresaban a la tierra para alimentar a su Diosa. Le pertenecían desde que nacían hasta que la tierra se los tragaba. Hasta tal punto los controlaba ella.

»Todo esto cambió con la llegada de la Emperatriz. Ella derrotó a la Diosa y la obligó a retirarse a las profundidades del subsuelo, desde donde todavía hoy escupe de vez en cuando esas... piedras... Ópalos... que condensan parte de su poder.

—El poder de la vida —le recordó Bipa con cierta dureza.

—Pero es la Emperatriz quien gobierna ahora sobre el mundo —prosiguió Todo, imperturbable—. Ella descendió de los cielos y nos ofreció la posibilidad de liberarnos de la esclavitud de nuestros cuerpos. Nos enseñó a Cambiar. Nos dio la oportunidad de alcanzar la eternidad.

—¡La eternidad! —exclamó Bipa con desdén—. ¿De qué te sirve la eternidad si para ello has de renunciar a la vida?

—La eternidad —replicó Todo— es la libertad ansiada por todos aquellos que son esclavos de su cuerpo. Tu amigo lo sabe. Sabe que lo que la Emperatriz le ofrece vale más que una corta vida que pasará alimentándose, durmiendo, envejeciendo y criando a unos hijos que serán tan esclavos como él. Por eso te ha dado la espalda, muchacha. A ti y a todo lo que conoció. Sabe muy bien que el don de la Emperatriz no tiene precio. ¿Qué podrías ofrecerle tú a cambio de la eternidad? ¿Qué puedes regalarle que valga más que la libertad?

Bipa montó en cólera. Las palabras de Todo le parecían una sarta de disparates.

—Vivir la vida —dijo—, eso no tiene precio. Quien no haya pasado nunca frío no apreciará el valor de una hoguera. Quien nunca haya llorado no disfrutará de los momentos de risas. Quien no haya pasado hambre no valorará un plato de estofado caliente. Quien no conozca la muerte no sentirá amor por la vida. Esto es lo que Maga me enseñó.

»Los etéreos pierden la capacidad de sentir, de emocionarse. Eso es lo que nos hace amar la vida. Los etéreos buscan una existencia sin límites y al mismo tiempo renuncian a las cosas que valen la pena. Serán eternos, sí. Pero estarán eternamente vacíos.

»Tú lo sabes —concluyó, con una traviesa sonrisa—. Presumes de ser Todo, pero estás atrapado en una cárcel líquida. Presumes de no sentir necesidades corporales, pero me has robado un beso. Sólo para tratar de recordar qué se sentía al besar a una mujer.

Todo no respondió.

Bipa se levantó, segura y confiada, por primera vez en mucho tiempo.

—No eres Todo —le aseguró—. No eres yo. Porque aún poseo un cuerpo que me delimita. Porque tengo una identidad, y porque aún recuerdo mi nombre.

»Y sé que tú desearías poder acordarte del tuyo.

—Mientes —farfulló aquel ser de agua—. La Diosa habla por tu boca y trata de confundirme. Tú...

Bipa no oyó más. Se alejó del estanque, sin prestar atención a los borboteos de Todo. El gólem la siguió, deslizándose sobre el suelo de cristal, como una sombra líquida.

Cuando la muchacha llegó a la galería, Uno ya se había marchado. El gólem de agua la acompañó de regreso a la caverna de donde partía el túnel que la conduciría hasta el país de los etéreos. Ahora sabía que Aer se había adentrado en él.

«A estas alturas —pensaba Bipa—, tal vez ya no pueda encontrarlo. Quizá ya no tenga cuerpo.»

Habría debido seguir su camino sin entretenerse, se decía a sí misma. Pero, por otro lado, su conversación con Todo le había enseñado muchas cosas. Y, además, no era tan sencillo continuar adelante.

Hacía falta valor para Cambiar, recordó la joven.

«Pero yo no tengo la menor intención de Cambiar —se rebeló—. Ya he Cambiado demasiado.» Lo notaba también en sus ropas, que ya le quedaban anchas. «Cuando todo esto termine —se dijo—, regresaré a casa y volveré a vivir como una persona normal. Y pronto seré la misma de antes.»

Podría recuperar fácilmente el peso que había perdido en cuanto volviera a alimentarse correctamente. Pero dudaba que pudiera recobrar su cabello oscuro y su tono de piel original. Estaba preguntándose si Maga contaría con algún remedio contra la «enfermedad etérea» cuando llegó a su destino.

La aguardaban dos transparentes. El primero era Uno, al que reconoció por el Ópalo de su frente. El otro podía ser Dos o Tres, o quizá una cuarta persona. Bipa no lo sabía.

—¿Has decidido ya lo que vas a hacer? —preguntó Uno.

—Sí —respondió Bipa—. Voy a seguir por el túnel que lleva hasta los etéreos. Ahora mismo —añadió tras una pausa. Lo cierto es que no se sentía cansada ni hambrienta. Estar Cambiando hacia el estadio etéreo tenía sus ventajas.

Los dos transparentes cruzaron una mirada de estupor.

—¡Pero no puedes ir ahora!

—¿Por qué no?

—Eres demasiado corpórea. Te hundirás.

Bipa comprendió entonces que, si se internaba por el túnel, en algún momento dejaría de tener suelo sólido bajo sus pies.

Se acordó de la placa de cristal que le había servido de balsa y tuvo una idea.

—No me hundiré —les aseguró—. Lo bueno de ser corpórea es que mi cerebro todavía no se ha reblandecido tanto como los vuestros.

Ellos no parecieron ofendidos. La siguieron, con cierto recelo, cuando Bipa se adentró en el túnel que conducía a los dominios de la Emperatriz.

Como sospechaba, un poco más allá el suelo cristalino se fundía con el agua. Bipa se arrodilló en la misma orilla y trató de arrancar un fragmento de cristal del borde. Necesitó tres intentos hasta conseguir lo que quería: un pedazo de cristal puntiagudo y alargado como una daga. Entonces se volvió sobre sí misma y empezó a golpear el suelo un poco más allá, intentando abrir una brecha.

—¿Qué haces? —quiso saber Uno.

—Trato de fabricarme una balsa como la que me trajo hasta aquí —explicó Bipa.

—Pero no puedes destruir el túnel.

—No voy a destruir el túnel. Sólo necesito un trozo de suelo, lo bastante grande como para que pueda transportarme.

Uno no parecía muy conforme. Intentó arrebatarle el cristal a Bipa, con el resultado de que ambos se cortaron con sus afiladas aristas.

Bipa lanzó una exclamación de dolor y soltó el fragmento. Se llevó el dedo a la boca para lamer la herida, y descubrió, consternada, que la sangre que manaba de ella no era roja, sino de un desvaído tono rosáceo.

Sin embargo, contrastaba vivamente con la sangre de Uno.

El transparente no había dado muestras de dolor, a pesar de que su herida parecía más grave que la de Bipa. De ella brotaba un líquido totalmente incoloro.

—No puede ser agua —balbuceó la chica—. No puedes tener agua en las venas.

Uno trató de atraparla, pero Bipa retrocedió un paso y dio un salto en el sitio.

El suelo, que a fin de cuentas flotaba sobre el mar, se bamboleó. Los transparentes se quedaron quietos.

Bipa saltó de nuevo.

Se oyó un crujido.

—Sacadla de ahí —ordenó Uno a los golems de agua.

Las criaturas avanzaron hacia ella, obedientes.

Bipa saltó por tercera vez. Y entonces, con un chasquido, la placa de cristal sobre la que estaba se desprendió del resto y se deslizó lentamente, túnel abajo.

Bipa contempló los rostros de Uno y del otro transparente. A pesar de ser inexpresivos como máscaras de hielo, casi podía oler su consternación.

—¡Lo siento mucho! —les gritó mientras se alejaba—. ¡No pretendía ser grosera! ¡Pero tengo que encontrar a Aer!

«... Antes de que sea demasiado tarde», añadió para sí misma. Se preguntó si al muchacho todavía le quedaría sangre en las venas. Si aún poseería la capacidad de sentir.

«No importa —se dijo—. He de llevarlo de vuelta a casa.»

Si no lo hacía... ¿cómo iba a explicarle a Nuba que su hijo se había transformado en un etéreo sin cuerpo? ¿Le consolaría saber que había alcanzado la eternidad?

—No llegarás hasta el final —le dijo entonces una voz conocida, sobresaltándola.

En la superficie del agua, cerca de ella, flotaba el rostro líquido de Todo.

—No me importa —respondió Bipa—. No pretendo llegar hasta el final. Sólo quiero encontrar a Aer.

—¿Lo ves? Eres esclava de tus sentimientos.

—Mejor eso que ser esclavo de la Emperatriz. ¿Crees que no sé que la luz de esa Estrella atrae a la gente? ¿A eso lo llamas libertad?

Todo le dirigió una mirada indescifrable.

—Podría hacer que volcaras ahora mismo —le dijo—. Y entonces te arrepentirías de ser opaca y no poder flotar por encima de las aguas.

—¿Vas a hacer eso? —dijo Bipa, inquieta.

—No —replicó Todo—. Porque no me importa nada lo que digas o lo que hagas. Y no me importas tú. No me importas en absoluto.

Se hundió en las aguas, dejando apenas una ligera onda en su superficie. Bipa aguardó, pero no sucedió nada. El mar seguía tranquilo, y el rostro de Todo no volvió a aparecer.

Aquella fue la última vez que Bipa lo vio.

La balsa de cristal continuó flotando bajo la bóveda del túnel de agua. La joven perdió la noción del tiempo. El océano parecía infinito, y aquel túnel, tan eterno como la existencia que se les suponía a los etéreos.

XIII

Los casi-etéreos

Por fin, el agua dejó de fluir y la cortina líquida se abrió ante ella.

Bipa apenas tuvo tiempo de ver la enorme Estrella azul brillando sobre su cabeza. De pronto, el agua a sus pies cedió, y la joven se vio a sí misma precipitándose, junto con su balsa de cristal, por una formidable cascada que caía a través del banco de niebla más enorme que había visto en su vida. Cayó y cayó a través de la niebla, y cuando ya pensaba que caería eternamente, su cuerpo se estrelló contra un suelo extrañamente blando.

Bipa se incorporó, dolorida.

El suelo parecía tierra normal; pero había perdido color y consistencia. Tenía la transparencia del agua más pura, y era suave y mullido como un colchón de plumas.

Alzó la mirada hacia lo alto, pero sólo pudo ver niebla y más niebla. ¿Dónde había caído? ¿En un foso? ¿Era una quebrada?

Se volvió para ver la cascada, preguntándose adónde iría a parar tanta agua. Descubrió que desaparecía antes de tocar el suelo. Simplemente se iba evaporando hasta que ya no quedaba nada.

«Esto es —se dijo Bipa—. La Estrella hace que hasta el agua y la tierra pierdan solidez. Los convierte en aire, en vapor.»

Nunca había visto nada parecido. En los dominios de la Emperatriz, incluso el suelo se volvía inmaterial. Por eso había caído durante tanto rato. La niebla que había atravesado durante el descenso había sido tierra sólida en un pasado remoto. Y el suelo que pisaba seguía sublimándose poco a poco, transformándose en aire, bajo la influencia de la Estrella azul, cuyo poder había ido excavando, con el paso del tiempo, un formidable agujero en el rostro de la tierra. Un agujero que suplía con niebla lo que antaño había sido roca viva y tierra fértil.

Bipa se estremeció. ¿Sería aquello el país de los etéreos? Comenzó a caminar entre la niebla, desorientada. Comprendía que en aquel lugar no podía existir nada sólido, por lo que tampoco podría encontrar puntos de referencia. Empezó a gritar llamando a Aer, pero nadie le contestó.

De modo que, aunque no sentía un especial deseo por conocer a la Emperatriz, optó por seguir el rastro de pálida luz azul que llegaba hasta las profundidades de la fosa.

Era el camino que Aer habría seguido. Continuó llamándolo sin dejar de andar entre la niebla. Pero nada cambiaba. Todo parecía igual, como si el tiempo se hubiese detenido, y llegó un momento en el que Bipa dejó de llamar a Aer, casi sin darse cuenta. Siguió caminando sobre aquel suelo blando; y ya había perdido la esperanza de encontrar algo más, cualquier cosa, cuando tropezó con un bulto y cayó al suelo.

El golpe, aunque no fue doloroso, la hizo reaccionar.

—¡Eh! —exclamó.

No había nada. Bizqueó, tratando de ver algo entre la niebla. Estaba segura de que no se lo había imaginado; el golpe había sido real.

«Mira por dónde vas, opaca», gruñó una voz en su mente.

Bipa ahogó un grito y sacudió la cabeza. Aquellas palabras no las había escuchado a través de sus oídos. ¿Se estaría volviendo loca?

«No seas grosero —dijo otra voz, más suave, más dulce—. No es una opaca, es una pálida, casi translúcida, ¿no lo ves?»

«Me ha parecido muy corpórea cuando ha chocado contra mí. Y mírala: hasta tiene definidos los contornos. No trates de suavizar mis palabras: es una opaca en toda regla.»

«Bueno, pero no hace falta restregárselo así, pobrecita. Seguro que no es culpa suya. Hay gente que tiene dificultades para Cambiar. Hay que ser comprensivos con ellos.»

—¿Quiénes sois? —exigió saber Bipa, entre inquieta y molesta—. ¿Por qué no puedo veros?

«Si hasta tiene voz —dijo el primer interlocutor, con cierto fastidio—. Lo que nos faltaba: una opaca ruidosa.»

«A mí sí puedes verme —dijo la segunda voz, algo entristecida—. Mira detrás de ti.»

Bipa obedeció y descubrió, con asombro, a una chica de su edad, increíblemente pálida e increíblemente delgada; largos cabellos de un blanco inmaculado enmarcaban su rostro marmóreo.

—¿Eres... una etérea? —preguntó, fascinada; había una elegancia sobrenatural en su forma de moverse, mucho más grácil que la de los golems de agua; parecía flotar entre la niebla.

«Casi —respondió ella, y Bipa descubrió que no necesitaba mover los labios para hablar—. Soy inmaterial, lo que significa que soy visible, pero no tangible. Mi amigo, con el que has chocado antes —añadió—, es invisible. Lo que implica que no puedes verlo, pero sí tocarlo. Los verdaderos etéreos pierden toda la materialidad. No se les puede ver ni tocar —concluyó, con tono soñador».

Bipa, que había tratado de comprender la exactitud de sus palabras, descubrió que, en efecto, su mano pasaba a través de la chica cuando intentaba tocarla. Pero se quedó de una pieza al escuchar la descripción que hizo de los etéreos.

—Pero, si no se les puede ver ni tocar —razonó—, ¿cómo sabes que existen?

«Tampoco puedes ver ni tocar el aire, y sabes que existe», intervino el ser invisible.

—Porque si no existiera, yo no podría respirar y me asfixiaría.

«Eso tú, que todavía respiras.»

Bipa parpadeó, desconcertada.

—¿Habéis perdido el cuerpo... por completo?

Hubo un breve silencio, y entonces se oyó de nuevo la voz telepática del ser invisible, repleta de incredulidad.

«¿De dónde ha salido esta chica?»

Bipa no veía por qué debía avergonzarse de su ignorancia.

—¿Cómo podéis estar seguros de que no estáis muertos? —insistió.

«Está muy confundida, pobrecilla —dijo la muchacha inmaterial, compasiva—. No estamos muertos, cielo. Simplemente, Cambiamos. Perdimos corporeidad. Nuestros cuerpos se fueron reblandeciendo hasta desaparecer por completo. Ahora no estamos encerrados en la cárcel de carne. Pensamos sin necesidad de cerebro, vemos sin ojos, hablamos sin voz. Somos nuestra propia esencia, sin cargas, sin límites. Somos lo más puro que había en nosotros. Somos espíritus.»

«Habla por ti —gruñó el otro—. Yo sólo soy invisible. Todavía puedo ser golpeado por muchachas opacas desconsideradas.»

Bipa le ignoró.

—Si no te late el corazón, no puedes estar viva —sentenció—. Y si no estás viva, ya que no tienes un corazón que pueda latir, sólo puedes estar muerta.

«Hay más estadios aparte de la vida y la muerte», dijo la chica; pero parecía algo incómoda.

A Bipa le caía bien y no quería discutir con ella, por lo que cambió de tema:

—Soy Bipa —dijo—. Estoy buscando a un amigo mío. Se llama Aer. ¿Lo habéis visto?

Ninguno de los dos pareció reaccionar. Bipa recordó que para los etéreos los nombres no tenían ningún sentido.

—Tiene que haber llegado hace poco. Un chico de mi edad, más o menos.

«¿Para qué le buscas?», inquirió el invisible.

Bipa comprendió que no podía decirles cuáles eran sus verdaderas intenciones para con Aer. Aquellas personas, si es que todavía eran personas, consideraban que lo mejor que le podía pasar a alguien era llegar a ser etéreo. No entenderían que ella pretendiese alejar a su amigo de la Emperatriz y su perniciosa Estrella.

—Es mi amigo —dijo solamente.

«Pobrecita —volvió a decir la joven inmaterial—. Por eso está tan perdida. Partieron juntos y él se adelantó y la dejó atrás.»

«Me pregunto por qué», dijo el invisible, con sorna.

«No seas cruel —le reprochó la chica—. Todos los recién llegados van derechos al palacio de la Emperatriz —le explicó a Bipa—. Ahí tratan de Ascender. Si están preparados, alcanzarán su objetivo y se transformarán en etéreos —dijo, y por un instante pareció estar en éxtasis—. De lo contrario, seguirán rondando por aquí hasta que estén preparados para la Ascensión. Eso es lo que estamos haciendo nosotros en este lugar», añadió, con súbita tristeza.

—Entonces —quiso asegurarse Bipa—, aún hay que pasar otra prueba antes de llegar hasta la Emperatriz. Lo cual quiere decir que es muy posible que Aer todavía siga por aquí.

«Oh, pero algunos lo consiguen a la primera —se apresuró a responder la joven, malinterpretándola, y creyendo tranquilizarla con sus palabras—. Puede que tu amigo sea de ésos. Los hay que escuchan la llamada de la Emperatriz con mucha más fuerza. Quién pudiese ser como ellos», añadió, nostálgica.

—Pero, si te conviertes en etérea —no pudo evitar preguntar Bipa—, ¿perderás también tu visibilidad? ¿Nadie podrá verte?

«A mí tampoco me ven», señaló el invisible, pero ninguna de las dos le hizo caso.

—¿Qué serás entonces? —insistió Bipa—. ¿Qué será de ti?

«Seré yo misma —replicó ella, asombrada ante la osadía de la opaca—. Hallaré mi verdadera esencia.»

—¿Y cuál es tu verdadera esencia? ¿Quién eres? ¿Cómo te llamas?

La chica inmaterial no supo contestar.

«No la escuches —advirtió entonces el invisible—. Pretende confundirte. Lleva encima una de esas monstruosas piedras creadas por la Diosa.»

La joven inmaterial reparó entonces en el Ópalo; se mostró horrorizada y se alejó de Bipa, como si temiese que pudiera contagiarle algún tipo de enfermedad.

—He conocido a gente que mataría por poseer uno de éstos —dijo ella, molesta.

«Gracias a la Emperatriz, nosotros nunca seremos tentados por el oscuro poder de la Diosa —replicó el invisible—. Como ves, aquí no hay nada material. No se puede crear golems de niebla. Nadie desea poseer un Ópalo porque a nadie le sirve para nada. Aquí estamos a salvo de la Diosa y sus repugnantes creaciones. Nadie puede cometer el sacrilegio de dar vida a cosas materiales sin alma.»

—Pero ése no es su objetivo —contradijo Bipa, recordando las palabras de Lumen—. Los Ópalos están para cuidar de los vivos. Para curar enfermedades, reconfortar a los ancianos y sanar a los heridos.

»Los Ópalos son vida para los vivos. Quienes los utilizan para animar objetos no los están usando correctamente. Además —añadió, pensando en Nevado—, no sé hasta qué punto es cierto eso de que los golems no tienen alma.

«Alma», repitió la chica inmaterial inesperadamente.

Bipa la miró, perdida.

—¿Cómo dices?

«Alma —dijo ella de nuevo—. Puedes llamarme Alma.»

—¿Es ése tu nombre?

«No. Es lo que soy.»

«No necesitas un nombre —protestó el invisible—. Somos casi etéreos.»

«Yo no necesito un nombre —respondió Alma—. Pero ella sí necesita llamarme de alguna manera. Después de todo, la pobre sigue siendo opaca», añadió, condescendiente, como si eso lo explicara todo.

«Yo no pienso buscar un nombre para mí sólo para que ella se sienta más cómoda.»

—No es necesario —intervino Bipa, maliciosa—. Ya te he buscado un nombre yo misma: voy a llamarte Gruñón.

Hubo un breve silencio.

«No tienes mucha imaginación, ¿verdad?», dijo el invisible.

—Por lo menos recuerdo mi nombre —replicó Bipa, picada—. Eso es más de lo que puede decirse de ti.

«Soy el Invisible —respondió el invisible, muy digno—. Con eso debería bastarte.»

—No os preocupéis tanto por los nombres —cortó Bipa, impaciente—. De todos modos, iba a despedirme ya, porque no puedo entretenerme más. Así que adiós. Ha sido un placer conoceros.

Y, sin esperar respuesta, reanudó la marcha.

«¡Espera! —la llamó Alma. Bipa vio que la seguía—. ¿Adónde vas?»

—Al palacio de la Emperatriz —respondió ella—. A buscar a Aer.

«Pero...», empezó Alma; parecía muy apurada.

—¿Qué? —la animó Bipa, sin detenerse.

«Es que para llegar al palacio de la Emperatriz tienes que Ascender... y... no te lo tomes a mal... pero creo que te costará un poquito.»

«¿Ascender, ella? —se burló el Invisible—. Sería más fácil que la Estrella se cayera del cielo.»

Bipa rechinó los dientes.

—Bien; pues si es necesario, arrancaré esa Estrella del cielo; pero no he llegado tan lejos como para regresar con las manos vacías.

«No te lo tomes a mal —seguía diciendo Alma—. Es sólo que aún estás un poquito corpórea. Pero eso se soluciona con el tiempo...»

—¡No lo entendéis! —gritó Bipa, perdiendo la paciencia—. ¡No-me-queda-tiempo!

«Tengo que salvar a Aer», se dijo.

Ya no era sólo hacerle entrar en razón. Lo supiera él o no, estaba en peligro.

«Quizá me equivoque —pensó Bipa— y es cierto que se está mejor siendo etéreo, pero, aunque todo el mundo me diga lo contrario, yo sé que esto no puede ser bueno. Tengo que detener a Aer antes de que sea demasiado tarde.»

Echó a correr. Aún oyó la voz de Alma:

«Sí que se lo ha tomado en serio.»

«Está chiflada», sentenció el Invisible.

Bipa vislumbró por el rabillo del ojo el rostro de la chica inmaterial, que le dijo mientras flotaba junto a ella:

«Deberías pensártelo.»

—¿Pensarme el qué? —jadeó Bipa, sin dejar de correr. Sus pies se hundían en el suelo blando, pero no se detuvo.

«Bueno... no quiero ser grosera, pero eres... demasiado opaca para estar aquí.»

—Eso ya lo has dicho.

«Oh, no tengo nada en contra de ello, créeme —se apresuró a asegurarle Alma—. Pero aquí, en general... Bueno, no está bien visto.»

Bipa se detuvo en seco, advirtiendo un peligro en sus palabras.

—¿Qué insinúas?

Alma parecía incómoda.

«A muchos de los de aquí... no les parecerá bien que hayas llegado tan lejos... en ese estado. No te permitirán llegar al círculo de la Ascensión. Te dirán que regreses por donde has venido y que vuelvas cuando seas un poco menos corpórea. Lo siento —añadió, deprisa—. Son las normas de este lugar. Sé que no es culpa tuya ser así, y quiero que sepas que te compadezco muchísimo. Quiero decir, que bastante tienes ya, pobrecita, con ser tan opaca... Deberías poder intentar la Ascensión al menos una vez...»

«¿Para qué? —intervino el Invisible—. Jamás conseguirá Ascender en ese estado, es demasiado pesada.»

—Me da igual —cortó Bipa, cansada ya de ellos—. Voy a seguir adelante y nadie me lo va a impedir. Después de todo lo que he pasado... ¿creéis que me da miedo una pandilla de fantasmas?

«No somos fantasmas», replicó Alma, mortificada.

Pero Bipa ya no la escuchaba.

«¡Eh! —la llamó Alma—. ¡Chica opac... Quiero decir, ¡Chica-pálida-casi-translúcida! ¡No te vayas!»

Bipa los ignoró durante el resto del trayecto, pero ellos siguieron hablando de todas formas. Hasta que por fin, la joven se volvió hacia Alma, que era la única a la que podía ver, y le soltó:

—¡Basta ya! ¿Se puede saber por qué me seguís?

«¡Porque estamos preocupados por ti, naturalmente!»

«Habla por ti», murmuró el Invisible.

—¿Por qué? —insistió Bipa.

Y ninguno de los dos supo contestar.

—Yo os lo diré —continuó la joven—. Os aburrís. La existencia aquí es sumamente monótona. No podéis hacer otra cosa que hablar, pensar y esperar. Y yo soy lo único medianamente entretenido que habéis visto en mucho, mucho tiempo. Así que me seguís porque os he aliviado vuestra tediosa existencia durante un rato —movió la cabeza, decepcionada—. Lamento decirlo, pero no me parecéis tan superiores a los opacos como queréis hacerme creer.

Alma abrió y cerró la boca varias veces, en un intento, tal vez, de demostrar su desconcierto.

«Eso no ha sido nada gentil por tu parte», le reprochó por fin, con suavidad.

«Ignórala», le aconsejó el Invisible, muy digno.

Bipa respiró hondo.

—Está bien, lo siento —se disculpó, con más amabilidad—. Es sólo que estoy cansada, y tengo miedo. Voy demasiado lenta. Nunca conseguiré alcanzar a Aer a tiempo.

«Eso te pasa por tener cuerpo», le recordó el Invisible.

«Oh —dijo Alma solamente, como si se le hubiese ocurrido una gran idea—. Es verdad, tú tienes cuerpo y yo no. Espera aquí.»

—No puedo esperar... —empezó Bipa, pero Alma ya había desaparecido.

Y de pronto, la muchacha, que se había quejado de que los casi-etéreos la siguieran a todas partes, se sintió muy sola.

«Quédate aquí un momento —dijo entonces el Invisible; y por una vez su voz sonó casi amable—. Ella llegará a cualquier parte en un instante, buscará a tu amigo y te dará noticias de él. Después de todo, tú eres exasperantemente lenta comparada con ella; y, además es imposible que no estés cansada arrastrando un cuerpo tan pesado como el tuyo.»

—Supongo que esta vez no pretendías ser desagradable —murmuró Bipa—. Hace días que no como, ni bebo, ni duermo. Debería estar agotada. Pero sólo estoy cansada.

«Estás Cambiando. Pero no con la suficiente rapidez».

—Yo no quiero Cambiar —dijo Bipa, al borde de las lágrimas.

«Ya lo había notado —dijo el Invisible, con cierta dureza—. Pero, dime; si no vas a Cambiar, ¿cómo pretendes seguir a tu amigo hasta el palacio de la Emperatriz? Nunca jamás, nadie que no sea etéreo ha puesto los pies en él.»

Bipa se secó los ojos, que se le habían llenado de lágrimas de miedo, rabia e impotencia, y dijo:

—Entonces, yo seré la primera.

«Puede que no —dijo entonces Alma, reapareciendo súbitamente junto a ellos—. Puede que no. Bipa, he visto a un recién llegado caminando hacia el Círculo de la Ascensión. Dicen que va a ser su primer intento, así que puede que se trate de tu amigo. Si te das prisa, lo alcanzarás.»

Bipa respiró hondo. Tragó saliva varias veces, para no llorar de nuevo.

—Gracias, Alma —dijo—. Gracias, gracias.

«De nada —sonrió ella—. Seguro que será bonito ascender juntos. Corre y lo alcanzarás. ¡Corre, Bipa, corre!»

Y Bipa corrió. Emprendió una carrera desesperada a través de la niebla, guiándose por el helado resplandor de la Estrella, en busca de Aer. Lo habría llamado con todas sus fuerzas, si le hubiese quedado aliento.

Habría echado a volar tras él, si hubiese tenido alas.

Estaba cerca, muy cerca.

Tan cerca como aquella vez que vio a Aer cruzar el Abismo y no pudo seguirle. «Oh, grandísimo bobo —no pudo evitar pensar—. No mereces ni por asomo que me tome tantas molestias por ti.»

Pero, pese a todo, estaba allí, y seguía corriendo, luchando por despegar sus pies de aquel suelo blando que parecía tratar de retenerla. Corriendo, siguiendo la estela de la Estrella azul que brillaba sobre la niebla.

Persiguiendo a Aer, una vez más.

Y finalmente distinguió una delgada figura entre la bruma, y una oleada de alivio inundó todo su ser.

Incluso ahora que el poder de la Estrella lo había reducido a una sombra de proporciones esqueléticas, Aer seguía conservando aquella inconfundible forma de andar.

Bipa se detuvo sólo un instante y gritó con todas sus fuerzas:

—¡¡AER!!

Pero él no se volvió. La joven echó a correr de nuevo. Aer avanzaba a paso ligero, casi como si levitara sobre el suelo brumoso. Bipa se sentía torpe y pesada en comparación, tropezando a cada instante, hundiéndose hasta los tobillos.

Pero no dejó de correr.

Tenía que alcanzarlo.

Tenía que alcanzarlo.

Tenía que alcanzarlo.

Le pareció entonces que Aer se detenía, y por un instante le embargó la esperanza de que hubiese notado su presencia y la estuviese esperando.

—¡¡AER!! —gritó de nuevo.

Él seguía quieto. Bipa detectó algo más junto a él, una altísima columna de cristal, o tal vez un gigantesco prisma como los que había encontrado en la caverna que conducía a los dominios de los translúcidos. No podía saberlo desde aquella distancia. Pero sí quedaba claro que Aer se había detenido porque no podía ir más allá: la superficie de la columna parecía totalmente lisa, sin salientes, ni escalas, sin ventanas ni puertas. Allí, la luz era todavía más intensa.

La Estrella brillaba justo encima de aquella torre de cristal.

«¿Esto es? —se preguntó Bipa—. ¿Hemos llegado al palacio de la Emperatriz?»

Sintió miedo, un miedo espantoso. Echó a correr de nuevo, gritando el nombre de Aer, pero él no reaccionó. Había alzado la cabeza y miraba a lo alto, tal vez hacia la Estrella, tal vez hacia el fabuloso palacio que debía de haber debajo.

—¡¡Aer... no!! —gritó Bipa.

Las brumas se disiparon un poco y pudo ver a su amigo con más claridad. Iba a alcanzarlo...

... cuando, de pronto, chocó contra algo y cayó al suelo.

—¿Qué...? —pudo decir, aturdida.

Con creciente alarma notó que la izaban y la arrastraban lejos de Aer. No logró ver a sus captores, aunque percibía el contacto de varias manos extrañamente blandas aferrando sus brazos y tirando de ella para separarla de la columna de cristal... y de Aer.

—¡Eh! —protestó Bipa, pataleando con fuerza; pero sólo consiguió que la sujetaran con más firmeza—. ¡Eh! ¡Soltadme! ¡Dejadme marchar!

Varias voces resonaron en su cabeza:

«No puedes acercarte...»

«... Opaca...»

«No puedes profanar el Círculo de la Ascensión con tu impura presencia...»

«... Corpórea...»

«No oses acercarte...»

«... No estás preparada...»

«Tienes que irte...»

«... Esperar...»

«... Cambiar...»

XIV

La Emperatriz

Todas las voces hablaban a la vez, y Bipa chilló:

—¡Callaos! ¡Dejadme en paz!

Siguió debatiéndose con todas sus fuerzas, pero los invisibles continuaban tirando de ella. Bajo un velo de lágrimas, Bipa descubrió varios rostros espectrales entre la niebla: seres inmateriales, como Alma, que no podían retenerla, pero que no renunciaban a observar lo que estaba sucediendo y a hacer comentarios a su vez.

«¿Qué hace aquí una opaca?»

«¿Cómo se atreve?»

«¿Por qué no ha Cambiado?»

«Qué horror, es monstruosa...»

—¡Dejadme marchar! —aulló la joven, cada vez más desesperada—. ¿Qué os importa cómo sea yo? ¿Qué más os da? ¡Aer! —gritó de nuevo—. ¡Aer, escúchame! ¡Soy yo, Bipa! ¡He venido a buscarte!

«Déjalo; no puede escucharte», dijo una voz conocida.

Bipa dejó de patalear. Miró a Alma, suplicante.

—Diles que me suelten —rogó—. Sólo quiero llegar hasta Aer. Sólo quiero hablar con él. Por favor... he venido desde muy lejos... —se le quebró la voz y no pudo continuar.

«Es inútil, Bipa —dijo Alma—. El chico tiene derecho a intentar la Ascensión. No debes estorbarle.»

—¿La Ascensión adónde? ¿Al palacio de la Emperatriz? —Bipa se revolvió entre las garras invisibles de sus captores—. ¡Pero no puedo permitirlo! ¡Necesito hablar con él!

«Es culpa tuya —dijo entonces la voz del Invisible al que ya conocía—. ¿No te has parado a pensarlo? Si hubieses Cambiado, serías inmaterial ahora. Y nadie podría retenerte. Eres tú la que has caído en tu propia trampa. Tú y tu obstinada resistencia a Cambiar.»

—Pero... ¡pero Aer todavía no ha Cambiado! —protestó ella.

«¿Estás segura?»

Con el corazón en un puño, Bipa contempló la esbelta silueta de su amigo. Parpadeó. No, no era una ilusión óptica producida por la niebla. Realmente, sus contornos estaban borrosos. Y su figura no era del todo sólida. Podía ver a través de él.

Para todos los casi-etéreos allí reunidos, aquello era una buena señal. Significaba que Aer había evolucionado hacia un estadio superior.

Pero Bipa, egoístamente tal vez, sólo podía pensar en que lo estaba perdiendo.

—¡¡AER!! —gritó con toda la fuerza de sus pulmones y de su desesperación.

El grito resonó por todo el valle y conmocionó a sus silenciosos habitantes. Bipa sintió que los invisibles le clavaban los dedos con más violencia, pero no le importó.

Porque Aer se había dado la vuelta y los estaba mirando.

Bipa contuvo el aliento. Su cabello era ya blanco, tan blanco que brillaba entre la niebla, y tan fino y ligero que flotaba en torno a él. En un rostro casi cadavérico, de la frialdad de una flor de escarcha, sus ojos parecían más enormes que nunca y relucían como dos gotas de cristal azul.

Aquél era el único toque de color en él: aquellos ojos que atesoraban en sus pupilas el brillo de la Estrella de la Emperatriz.

Y estaba tan, tan delgado... a Bipa se le encogió el corazón. Parecía frágil como el más fino cristal, ligero como un soplo de brisa.

«Su cuerpo ya casi no existe —dijo Alma, con respeto—. Pronto podrá Ascender. Si su voluntad es lo bastante poderosa, tal vez sea capaz de pasar a la última fase del Cambio ahora mismo.»

Aquello fue más de lo que Bipa podía soportar. Los casi-etéreos se habían sumido en un silencio reverencial y observaban a Aer, conscientes de la importancia del momento.

Pero Bipa no podía quedarse callada.

—¡Aer! —gritó—. ¡Soy yo, Bipa! ¡He venido a buscarte!

La mirada del joven resbaló sobre los presentes, clara, cristalina y sutil, sin detenerse en Bipa siquiera por un instante, como si no la viera o no la reconociera. Entonces, lentamente, Aer dio media vuelta, alzó la cabeza hacia la Estrella y abrió los brazos.

—¡Aer! —gritó de nuevo Bipa—. ¡Estúpido cabeza hueca! ¡Vuélvete! ¡Mírame! ¡No sigas con esto o lo lamentarás!

«Cállate —cortó el Invisible con brusquedad—. Está Cambiando. ¿No lo ves?»

En efecto, la muchacha se daba cuenta de que la figura de Aer era cada vez más tenue. Se estaba transformando en un etéreo. Ante sus ojos. Y ella no podía hacer nada para evitarlo.

«Oh —suspiró Alma—. Un recién llegado. Y tan joven. Debía de ansiarlo con todas sus fuerzas, porque la Emperatriz le ha concedido su deseo.»

«Los hay que nacen con suerte», comentó el Invisible.

Bipa contempló, impotente, cómo los pies de Aer se separaban del suelo y el muchacho comenzaba a flotar, lentamente, cada vez más alto.

Un murmullo de envidia y admiración llegó hasta la mente de Bipa, procedente de las filas de los casi-etéreos, las criaturas invisibles e inmateriales que aguardaban a perder los últimos rastros de su corporeidad.

«Miradlo... —decían—. Está Ascendiendo.»

Bipa sacudió la cabeza.

—Esto no puede estar pasando —murmuró—. No es más que un mal sueño...

«Míralo —dijo Alma—. Está Ascendiendo. Sólo alguien que lo haya deseado desde hace mucho tiempo podría conseguirlo al primer intento.»

Bipa recordó las palabras de Aer, muchos años atrás, cuando ambos eran niños. Había jurado que llegaría al palacio de la Emperatriz.

«Si tanto te importa —dijo el Invisible—, ¿por qué quieres apartarlo de su sueño?»

Bipa apretó los puños y alzó la cabeza, con renovada decisión.

—Porque su sueño lo matará. No me importa que después me odie durante el resto de su vida. He de sacarlo de ahí. ¡Aer! —gritó—. ¿Me oyes? ¡Te llevaré de vuelta a casa, lo quieras o no!

Luchó de nuevo por desasirse, con todas sus energías, con una fuerza nacida de la desesperación. Por fin, logró liberarse de aquellas manos blandas que la retenían y echó a correr, gritando el nombre de Aer.

Oyó las voces de los casi-etéreos en su mente, pero ya no les prestó atención.

«¡No la dejéis marchar!»

«¡Sujetadla!»

«Es igual; dejadla ir. Después de todo, no logrará Ascender.»

Bipa llegó al pie del gigantesco prisma de cristal. Miró hacia arriba, entre la niebla, pero sólo pudo ver una helada y deslumbrante luz azul.

Y Aer flotaba, cada vez más alto, lejos de su alcance.

—¡Aer! —gritó Bipa.

Pero él seguía sin escucharla.

Bipa trató de saltar, pero resultaba obvio que era demasiado pesada. Se sintió desfallecer. Jamás lograría alcanzar a su amigo.

Pero tenía que hacerlo. Debía hacerlo porque, si lo perdía de vista esta vez, ya no habría más ocasiones.

Oprimió el Ópalo entre sus manos, rogando a la Diosa que le ayudase a arrebatarle a la Emperatriz aquel muchacho atolondrado y encantador.

«No dejes que se lo lleve —suplicó—. Por favor, a él no.»

Pero no tenía modo de seguirlo. Ella era Bipa la opaca, Bipa la corpórea, la pesada, la voluminosa. Jamás lograría volar del modo en que él lo hacía.

Para ello, recordó, había que transformarse en etéreo. Había que Cambiar.

Y para Cambiar se necesitaban dos cosas: la luz de la Estrella y la voluntad de Cambiar. Incluso en aquel momento en que la vida de Aer dependía de ello, Bipa no deseaba Cambiar. No quería ser más pálida, más delgada, más transparente, más etérea. Y en cuanto al otro requisito, su Ópalo la había protegido en gran medida de aquella inhumana luz azul.

No había ninguna posibilidad.

¿O tal vez sí?

También había creído, al borde del Abismo, que sería incapaz de volar.

Y, no obstante, se había arrojado al vacío y había cruzado al otro lado. Y no lo había hecho hipnotizada por la luz de la Estrella, ni llevada por su deseo de Cambiar.

Cerró los ojos un momento.

«Tal vez lo que me haga falta —se dijo—, sea voluntad a secas.»

Volvió a abrir los ojos y le gritó a Aer, que seguía elevándose hacia la morada de la Emperatriz:

—¡Aer! ¡Espérame, que voy contigo! ¡Volaré si es preciso, pero te juro que voy a llegar ahí arriba y voy a obligarte a bajar! ¡Y lo digo en serio!

No obtuvo respuesta, pero tampoco la esperaba. Rauda como el pensamiento, se quitó la cadena con el Ópalo y la enrolló a su muñeca para no perderla, de modo que la piedra no quedara en contacto con su piel. De inmediato, se sintió más ligera.

Aer seguía ascendiendo. La Emperatriz lo reclamaba para sí, y era una soberana impaciente y caprichosa. Con creciente angustia, Bipa comprobó que ya era difícil distinguirlo, no sólo a causa de la niebla y la distancia, sino también porque su silueta iba haciéndose cada vez más tenue, como las últimas gotas de lluvia tras la tormenta.

—¡Aer! —gritó—. ¡No! ¡Espera! ¡No te vayas!

No debía dejarlo marchar.

No podía dejarlo marchar.

Y, mientras, la luz azul de la Estrella se colaba por sus retinas e inundaba su ser, pintando su alma con el resplandor de la Emperatriz.

No podía dejarlo marchar.

Apenas notó que se volvía más ligera y que sus pies se despegaban del suelo. Ya no oyó en su mente los murmullos de los casi-etéreos que los contemplaban desde abajo.

Sólo tenía ojos para Aer, que se elevaba cada vez más y más lejos...

Tenía que alcanzarlo, como fuera.

—¡Aer, vuelve! —gritó; y después—: ¡No puedo dejarte marchar!

Siguió llamándolo, ajena a todo lo demás, sin ser consciente de que levitaba, flotaba, volaba y estaba cada vez más lejos del suelo. Lo único que le importaba era que estaba cada vez más cerca de Aer.

Podría haber sido un instante o una eternidad, o ambas cosas. Pero, cuando Bipa llegó por fin a la altura de Aer, tuvo la sensación de que el tiempo ya no existía.

No tenía ya voz para llamarlo. Alargó la mano y trató de sujetarlo por un pie.

Pero sus dedos no lograron aferrarlo. El joven, haciendo honor a su nombre, parecía haberse vuelto tan inconsistente como el aire.

Inmaterial.

Casi-etéreo.

«No puede ser», pensó Bipa, horrorizada, y la angustia la hizo flotar un poco más alto. Cuando pudo mirarle a la cara se dio cuenta, con espanto, de que Aer ya casi no era Aer. Se había convertido en una sombra, en un espectro.

Pronto, comprendió, desaparecería sin más.

—¡Aer, escúchame! ¡Mírame! —insistió.

Pero el muchacho seguía sin reaccionar. Sus ojos estaban fijos en la luz de la Estrella, y su rostro parecía haberse congelado en una permanente expresión de éxtasis.

Bipa alzó la mirada para ver qué era lo que lo tenía tan embrujado. Era la primera vez que lo hacía desde que comenzara su ascensión. Antes, sólo había tenido ojos para Aer.

Ahora podía contemplar la verdad en toda su inmensidad.

Y echó de menos los cuentos de Nuba. Porque eran mucho más amables que la espantosa realidad que los aguardaba.

No había ningún palacio. No había ninguna Emperatriz.

En lo alto de aquel prisma cristalino sólo estaba la Estrella, aterradora, voraz, que los atraía hacia ella como una piedra imán.

Bipa sentía su hambre, su deseo de atraparlos. Con horror, vio que su propia mano comenzaba a transparentarse. Como había sospechado, era la propia Estrella la que volvía etéreas a las personas.

La Estrella era la Emperatriz de las leyendas.

Había descendido de los cielos en tiempos remotos, y su luz azul había ido despojando a las cosas, a los animales y a las gentes de su corporeidad. Como un niño que le quita la cáscara a un fruto seco para devorar el interior, así iba la Emperatriz desnudando a los espíritus de sus cuerpos para, por fin, alimentarse de su esencia.

De esa manera, con el tiempo, fue acabando con toda la vida que recubría el planeta. Y éste se volvió frío en su superficie, pero conservó sus últimas fuerzas en el interior.

Sin saberlo, las gentes de las Cuevas y otras comunidades similares eran rebeldes en un mundo gobernado por la inhumana Emperatriz, la Estrella azul que descendió de los cielos. Ellos adoraban a la Diosa de la vida en un mundo donde los que veneraban a la Emperatriz, hipnotizados por su frío resplandor, despreciaban todo lo que los rodeaba y soñaban con liberarse de sus cuerpos para ofrecer sus espíritus a su hambrienta señora.

Y, ahora, la Emperatriz, aquella estrella que se alimentaba de almas, iba a devorarlos a ellos también.

Bipa lo supo en el mismo instante en que la luz de la Emperatriz rozó su retina. Después de tantísimo tiempo devorando la esencia de todas las cosas vivas que había sobre la tierra, a la Emperatriz le quedaba ya poco de qué alimentarse. Aquella criatura llevaba mucho tiempo pasando hambre. Y no podía hacer nada al respecto, puesto que estaba varada en aquel mundo, el mundo que ella misma había asolado, sin posibilidad de escapar.

Y, por eso, Bipa y Aer tampoco escaparían. Porque ella no se podía permitir el lujo de dejarlos escapar.

La chica trató de sujetar a su amigo, pero, una vez más, lo encontró tan incorpóreo que fue como intentar capturar al viento con los dedos.

—No, Aer, no —le suplicó—. No te vayas.

En un impulso, alzó el Ópalo, que aún pendía de su muñeca, y pasó la cadena por la cabeza del joven. «Diosa, mantenlo atado a este mundo —le rogó—. Devuélvele su cuerpo, el cuerpo que creció en el vientre de su madre igual que las semillas que se alojan en tu seno. Diosa, te lo suplico, ayúdame: ayúdale.»

Dejó caer el Ópalo.

Pero, ante su horror, la piedra atravesó limpiamente la imagen de Aer, amenazando con precipitarse al vacío. Sin embargo, en el último momento, la cadena quedó enganchada en la punta del pie de Aer.

La piedra que había otorgado vida al cuerpo inerte de Nevado devolvía ahora parte de su materialidad a una vida sin cuerpo.

Bipa recuperó el colgante y volvió a ponérselo a Aer en el cuello.

Y esta vez se quedó allí.

Llorando de alivio, abrazó a su amigo por primera vez en mucho, mucho tiempo. Su cuerpo parecía frágil y poco consistente, por lo que ella no quiso estrecharlo con mucha fuerza. Pero sí trató de infundirle calor, puesto que Aer le transmitía la frialdad de un gólem de hielo.

Debido a la influencia del Ópalo, o a la corporeidad recuperada de Aer, o a ambas cosas, los dos comenzaron a caer, lentamente.

Entonces él la miró; y sus ojos, claros y brillantes, parecían dos réplicas exactas de la estrella azul.

—¿Qué estás haciendo? —le preguntó, con una voz tenue, casi inexistente.

—Voy a sacarte de aquí —dijo Bipa, resuelta—. Voy a salvarte. Escaparemos juntos...

—Yo no quiero escapar —cortó Aer, separándose de ella con brusquedad—. Voy a llegar hasta la Emperatriz. Seré etéreo. Seré eterno.

—No serás nada —replicó Bipa—. La Emperatriz hará que tu cuerpo se desvanezca y devorará tu alma, y entonces no quedará nada de ti. ¿Me oyes? ¡Nada!

Aer se apartó de ella todavía más.

—¡Déjame en paz! —le espetó, y se quitó la cadena con el Ópalo—. ¡No quiero esto! ¡Quiero Ascender!

Bipa recogió el Ópalo antes de que cayera al vacío.

—¡Idiota! —le recriminó—. ¡Recuerda lo que Maga te decía! ¡Antes de mirar al cielo hay que mirar alrededor! ¡Antes de soñar con otros mundos tienes que cuidar de éste!

Pero Aer ya no la escuchaba. Había vuelto su rostro hacia la Emperatriz y alzaba sus brazos al cielo, ofreciéndose, entregándose.

Bipa se tragó las lágrimas. Veía cómo el cuerpo de Aer se desvanecía de nuevo y ella no podía hacer nada para evitarlo.

—¡Está bien! —le gritó, furiosa—. ¡Vete tú solo! ¡Yo no pienso acercarme más a esa cosa!

Volvió a colgarse el Ópalo. La fuerza de la Diosa tiró de ella hacia la tierra, y el poder de la Emperatriz tiró de ella hacia el cielo.

Los dedos de Bipa se cerraron en torno al Ópalo y lo sintió cálido y palpitante en sus manos. Era tan diferente a la fría Estrella azul...

... que la miraba desde el cielo, hermosa, fascinante y letal.

Bipa sacudió la cabeza para liberarse de su embrujo. Cerró los ojos un instante y se le ocurrió una idea loca, una idea absurda... Pero, si funcionaba, sería la única oportunidad de salvar a Aer. La única oportunidad de salir de allí con vida.

Se puso el Ópalo sobre el pecho y comenzó a pensar en cosas terrenales.

Pensó en comida, y empezó a sentir hambre.

Pensó en su cama, y empezó a sentir sueño.

Pensó en Nevado, y sintió tristeza.

Lentamente, su cuerpo fue despertando para recordarle que seguía viva.

Y, al mismo tiempo, comenzó a Descender.

La reacción de la Emperatriz no se hizo esperar. Bipa sintió un fuerte tirón. La estrella trataba de atraerla con más intensidad.

Bipa se esforzó en seguir sintiendo cada célula de su cuerpo. Fue una tortura, porque de pronto todas sus sensaciones físicas regresaron de golpe a ella: el hambre, la sed, el cansancio, el frío, el dolor, el sueño... Llevaba mucho tiempo sin ocuparse de su cuerpo, y éste le pasó factura en cuanto osó interrogarle.

Y, cuanto más intensas se hacían estas sensaciones, tanto más opaca se volvía Bipa.

Y más le atraía la tierra.

Y, justamente, por eso, la Emperatriz luchaba más y más para absorberla.

Bipa se estaba protegiendo. Estaba recuperando su envoltorio carnal y, en otras circunstancias, la Estrella le habría dejado marchar. Pero la tenía demasiado cerca y estaba demasiado hambrienta. Bipa sabía que, una vez iniciada la Ascensión, no había vuelta atrás y la Emperatriz la devoraría igualmente, sin importar el estado en el que se encontrara.

Contaba con ello, en realidad. Cuando sintió que la fuerza de atracción de la estrella era tan intensa que no podría soportarla más, Bipa se quitó el Ópalo y lo sujetó en su mano, cerró los ojos y evitó pensar en nada.

Y salió disparada hacia arriba.

La Emperatriz la succionó casi con desesperación, y Bipa se vio Ascendiendo más deprisa de lo que ningún Etéreo lo había hecho jamás.

Pasó junto a Aer y alargó la mano para tomar la de él. Pero el chico se había vuelto ya demasiado inmaterial como para poder tocarlo.

«Debo subir... —pensó Bipa—. Pero no... muy deprisa...»

Estaba aterrorizada, pero debía llevar a cabo el plan que se había propuesto. Cuando juzgó que era el momento apropiado, soltó el Ópalo.

Aguantó todo lo que pudo, rezando a la Diosa e insistiendo en ser la más opaca de todos los opacos, mientras la Emperatriz tiraba de ella, tratando de arrebatarle la corporeidad en la que Bipa se empeñaba en envolverse.

Y entretanto, poco a poco, el Ópalo Ascendía. La fuerza de atracción de la Emperatriz en aquel momento era tan intensa que ni siquiera el poder de la piedra podía resistírsele. Bipa sintió que también ella seguía subiendo, y luchó por mantenerse en aquella posición. La Emperatriz tiró de ellos todavía más. Bipa se esforzó por seguir donde estaba...

pero la fuerza de la Estrella era tan poderosa que creyó que iba a desgarrarle el alma.

Y, mientras tanto, el Ópalo seguía Ascendiendo, porque la Emperatriz continuaba succionando furiosamente... hasta que su resplandor se lo tragó. Instantes después, la luz azul de la Estrella menguó hasta adoptar un tono más pálido, enfermizo.

—¡Ahí tienes! —le gritó Bipa, sin poderse contener—. ¡Espero que te provoque una buena indigestión!

La Estrella parpadeó un par de veces, tratando de asimilar la fuente de vida pura que era el Ópalo que acababa de penetrar en su esfera cristalina. Pareció que algo se revolvía en su interior, y Bipa se sintió inquieta a pesar de su alegría: La Diosa estaba atacando a la Emperatriz alienígena desde su propio corazón; o, mejor dicho, acababa de dotar de corazón a una criatura cuya esencia consistía en no poseer ninguno.

Hubo solamente otro par de destellos azules.

Y, entonces, la Estrella estalló.

No fue una explosión ígnea ni estruendosa. Ni siquiera fue particularmente violenta.

Simplemente, la Estrella se contrajo y después vomitó en silencio miríadas de frías chispas azules. Bipa no fue capaz de ver nada más. De pronto, sin la fuerza de atracción de la Emperatriz, la gravedad tiró de ella con urgencia, y empezó a caer en picado.

La tierra que tanto había defendido iba a destrozarla irremediablemente.

«Voy a morir —fue lo único que pudo pensar—. Voy a morir.»

Y su cuerpo le obsequió con una sensación muy propia de los opacos: el miedo. Cerró los ojos.

Algo la frenó en el aire, sin embargo. Bipa sintió que se le cortaba la respiración, y más tarde recordaría haber pensado que el impacto no había sido tan doloroso como temía. Pero sus sentidos le comunicaron que seguía viva, por lo que abrió los ojos, con precaución.

Aer la sostenía y la miraba con seriedad. Aunque a su alrededor seguía parpadeando aquella lluvia de luces azules, los ojos de Aer eran cristalinos, transparentes, sin asomo de color.

Pero lo más importante era que el chico la estaba sujetando.

—Te has vuelto corpóreo —murmuró ella.

—Por poco tiempo—dijo Aer. Bipa no lo entendió.

Flotaron los dos, suavemente, hasta el suelo. Aer seguía siendo demasiado etéreo como para caer a plomo, como Bipa, incluso sin la mirada azul de la Emperatriz clavada en el cielo.

Por fin aterrizaron sobre el suelo blando. Enseguida se vieron rodeados de casi-etéreos.

«¿Qué ha pasado?»

«¿Dónde está la Estrella?»

«¿Y la Emperatriz?»

«¡Ha sido culpa de la opaca!»

«¡No tendría que haber Ascendido! ¡Ha ofendido a la Emperatriz!»

«Silencio todos», dijo la voz del Invisible al que Bipa conocía.

«¿Por qué hemos de callarnos?»

«Sí, eso, ¿por qué?»

«¡La opaca debe pagar!»

«Silencio todos —repitió el Invisible—. Estoy viendo algo que hacía mucho que no contemplaba. Y lo echo de menos.»

Era un argumento extraño y en apariencia poco convincente. Pero todos, invisibles e inmateriales, enmudecieron y retrocedieron un par de pasos para dejar espacio a Bipa y a su amigo.

Ella no les prestaba atención. Aer se había derrumbado en el suelo, y ella lo sostenía ahora entre sus brazos; estaba extremadamente delgado y débil.

Al borde de la muerte.

Sin la poderosa fuerza hipnótica de la Emperatriz, el maltratado cuerpo del muchacho empezaba a acusar sus carencias.

—Tienes que aguantar, Aer —le estaba diciendo ella en voz baja, con un nudo en la garganta—. Te llevaré a casa, te cuidaremos y te pondrás bien.

Aer respiraba con dificultad. Le dirigió una mirada cansada y, en aquel rostro casi cadavérico, aún fue capaz de lucir su inconfundible sonrisa.

—Es... demasiado tarde, Bipa.

—No, no lo es —discutió ella—. No he llegado tan lejos sólo para dejarte morir.

—Es que... es duro. El hambre, el dolor... el sueño. No aguanto más. Mi cuerpo... me tortura. Aún estoy a tiempo de... ser etéreo... Todavía puedo... librarme del dolor...

Bipa no pudo más.

Le dio un sonoro bofetón que lo dejó aturdido por un instante.

—¡Pero qué te has creído! —le gritó—. ¡Yo sí que he sufrido, no te imaginas cuánto! ¡He pasado hambre y frío, he pasado miedo, he estado a punto de morir! ¡Me he dejado los pies caminando detrás de ti y he perdido a un buen amigo cuyo único error fue acompañarme en mi viaje! ¿Y te atreves a hablarme de dolor? ¿Qué sabes tú del dolor?

Sin poder contenerse más, se echó a llorar.

—Pero... Bipa —pudo decir Aer, confuso—. ¿Por qué... has hecho todo esto por mí? ¿Por qué... has venido a buscarme?

Ella lo miró como si fuera realmente corto de entendederas.

—Porque te quiero, estúpido —respondió, sin más.

Y, bajo una lluvia de destellos azules que seguía anunciando la muerte de una estrella, las miradas de ambos se cruzaron y en sus ojos brilló, por un instante, la verdadera esencia del poder de la Diosa.

Epílogo

Mucho tiempo después, cuando en realidad ya nadie los esperaba, dos viajeros llegaron a las Cuevas.

Ella se asemejaba a los habitantes del lugar, pero él, sin embargo, parecía un espectro: estaba famélico y caminaba apoyándose en el hombro de su compañera.

La mujer era joven, pero él daba la impresión de ser mayor de lo que en realidad era. Los dos tenían el cabello blanco como la nieve recién caída.

Regresaban de un largo viaje. Estaban cansados y hambrientos, pero felices.

Todos los contemplaron con inquietud y curiosidad. La pareja les resultaba familiar, pero no terminaban de situarla.

Sólo dos personas los reconocieron.

El primero fue un hombre ancho y fornido, con una frondosa barba castaña. Los divisó desde lo alto de la loma, corrió hacia ellos y los ahogó en un abrazo de oso.

La segunda fue una mujer de sonrisa triste y triste mirada, que se atrevió a asomarse a la puerta de su casa, con los hombros protegidos por un delgado chal. No corrió hacia los recién llegados. Se quedó observándolos, pálida, como si acabara de ver un par de fantasmas.

Fue él quien avanzó hasta la mujer. Estaba mucho mejor que cuando había contemplado, moribundo, la caída de una estrella.

El viaje había sido largo y penoso. Habían navegado por el Mar de los Líquidos, habían cruzado un Abismo juntos; habían sido huéspedes de dos gemelos en la Ciudad de Cristal, y allí habían conocido el destino de una mujer de hielo que acabó licuándose, junto a su ejército de golems, en la orilla del océano. Habían descansado, y dormido, y comido deliciosos estofados, hasta que, poco a poco, el joven había vuelto a la vida, al seno de la Diosa.

Y ahora, por fin, estaba de nuevo en casa.

La mujer le miró. Su pelo era distinto y sus ojos también, pero aún conservaba aquella hermosa sonrisa. Con lágrimas en los ojos, estrechó entre sus brazos al hijo que había regresado de la muerte por segunda vez, y al que había creído irremediablemente perdido.

La chica, por su parte, apenas habló con su padre. Se lo dijeron todo con una mirada. Sin embargo, había otra cosa para la cual sí eran necesarias las palabras.

—Tienes que ir a ver a Maga —sugirió Topo, y algo en su tono de voz indicó a Bipa que ocurría algo grave.

Corrió hacia la cueva de la chamana.

Pero, en lugar de la laboriosa mujer sonriente que ella conocía, halló a una anciana que mostraba la fragilidad de un carámbano de hielo. Multitud de arrugas surcaban su rostro desdentado, y un manto de cabellos blancos se desparramaba sobre la almohada de la cama en la que estaba postrada.

A Bipa se le encogió el corazón.

—Maga, ¿eres tú? —susurró—. ¿Qué te ha pasado?

—¿Encontraste a Aer? —preguntó ella a su vez, con voz débil y cascada.

—Sí —dijo Bipa, conteniendo las lágrimas—. Sí, encontré a Aer. Y lo he traído de vuelta a casa. Y derroté a la Emperatriz —añadió, esperando que Maga le pidiera más detalles.

Pero ella no lo hizo.

—Eso es bueno —asintió—. Ya todo está bien, pues. Ahora ya puedo... reunirme con la Diosa.

—¿Qué? No, Maga, no digas eso. Todavía...

—Hija —cortó ella—, cada persona que nace debe morir algún día. A mí me llegó la hora hace mucho, mucho tiempo, antes de que tú nacieras, incluso. Y sólo estoy viva porque el Ópalo me mantuvo joven, porque la Diosa así lo quiso...

—¡Entonces, es culpa mía! —gimió Bipa—. Me llevé el Ópalo y por eso envejeciste. Yo... lo siento mucho, Maga. Lo perdí en la batalla contra la Emperatriz. Pero sé de alguien que tiene uno —le aseguró—. Se lo pediré y me lo prestará, porque...

—Bipa —interrumpió la anciana de nuevo, con voz firme—, no necesito un Ópalo. Mi tiempo ya ha pasado.

Lo único que necesito es una sucesora.... y quiero que seas tú.

Ella trató de asimilarlo.

—¿Yo...? Pero... Maga..., no estoy preparada para...

—Sí, lo estás. Te enseñé todo lo que sé, y tú has aprendido mucho más de lo que yo podría enseñarte aún. Te has vuelto sabia, Bipa, y por eso tu cabello se ha tornado blanco. Has abierto tu corazón a la voz de la Diosa y por eso has traído a Aer de vuelta. Lo he decidido: cuando yo no esté, tú ocuparás mi lugar.

Bipa tragó saliva.

—Lo haré lo mejor que pueda, Maga —le aseguró, oprimiéndole la mano con fuerza—. Pero... ¿y el Ópalo?

—No vas a necesitar ningún Ópalo, porque, a partir de ahora, sobre ti brillará el Ópalo más poderoso de todos.

Bipa salió de la cueva de Maga sin haber entendido del todo sus palabras. Fuera la esperaba Aer.

—Me han dicho que Maga no está bien —dijo—. Y que en gran parte es culpa mía, por haberme marchado.

—Es verdad —afirmó Bipa sin piedad—. Es culpa tuya por haberte marchado.

Aer suspiró.

—Lo cierto es —dijo— que no hay nada como estar lejos del hogar para descubrir cuánto lo añoras.

—Me alegra ver que vuelves a sentir algo —comentó Bipa, cáustica—. Espero que el lote de sensaciones incluya también una pizca de remordimiento.

—Oh, sí, no lo dudes —respondió Aer muy serio—. Remordimientos y otras cosas que no había experimentado antes. Por ejemplo, hay algo que me muero por hacer.

Bipa puso los ojos en blanco.

—¿Otra de tus geniales ideas? Pues mira, yo ya he tenido bastante. Si quieres hacer experimentos, te las tendrás que arreglar solo, porque yo no pienso volver a meterme en líos por tu culpa.

Aer hizo una mueca de decepción.

—Pues es una lástima —aseguró—, porque sin ti no será ni la mitad de interesante.

Y la besó sin previo aviso. Bipa se quedó de piedra al principio, y sin aliento después, pero debió de considerar que el nuevo «experimento» de Aer no debía de estar tan mal después de todo porque le permitió finalizarlo, mientras su corazón latía como un Ópalo en llamas.

Y, entonces, tras muchos milenios cubriendo el mundo, sobre ellos se abrieron las nieblas por fin, y revelaron un luminoso círculo rojo, clavado en el firmamento como un ojo espléndido y vigilante.

Laura Gallego
Alboraya, 21 de mayo de 2007

Índice

Laura Gallego García

Laura Gallego ocupa un lugar de honor entre los autores de literatura infantil y juvenil de nuestro país. Doctora en Filología Hispánica por la Universidad de Valencia, empezó a escribir a la temprana edad de once años. *Finis Mundi*, la primera novela que publicó, obtuvo el premio El Barco de Vapor, galardón que volvería a ganar tres años más tarde con *La leyenda del Rey Errante*. Además de algunos cuentos infantiles, Laura Gallego ha firmado hasta el momento veintisiete novelas, entre las que destacan *Crónicas de la Torre*, *Dos velas para el diablo*, *Donde los árboles cantan*, distinguida con el Premio Nacional de Literatura Infantil y Juvenil, *El Libro de los Portales* y su aclamada trilogía *Memorias de Idhún*. En 2011 recibió el premio Cervantes Chico por el conjunto de su obra. Las novelas de Laura Gallego han vendido solo en España tres millones de ejemplares y han sido traducidas a dieciséis idiomas.

ESTE LIBRO SE TERMINÓ
DE IMPRIMIR EN EL MES DE
OCTUBRE DE 2015